MÉMOIRE ET IDENTITÉ

JEAN-PAUL II

MÉMOIRE ET IDENTITÉ

*Conversations au passage
entre deux millénaires*

*Traduction
par François Donzy*

Flammarion

Une édition du Club France Loisirs, Paris
réalisée avec l'autorisation des Éditions Flammarion

Éditions de Noyelles
123, boulevard de Grenelle, Paris
www.franceloisirs.com

Titre original :
Pamięć i tożsamość. Rozmowy na przełomie tysiąclesi.

© 2005, Libreria Editrice Vaticana, Città del Vaticano
© 2005, RCS Libri SpA, Milano
© 2005, Éditions Flammarion, Paris,
pour cette édition.
ISBN : 2-7441-8217-6

Note de l'éditeur

Le XXe siècle a été le témoin d'événements historiques qui ont marqué un tournant décisif dans la situation politique et sociale de nations entières, ayant aussi une forte influence sur le sort de chaque citoyen. Il y a soixante ans, se terminait la guerre qui, de 1939 à 1945, entraîna le monde dans une dramatique tragédie de destruction et de mort. Au cours des années suivantes, on a assisté au développement de la dictature communiste dans de nombreuses nations de l'Europe centrale et orientale et à l'expansion de l'idéologie marxiste dans d'autres nations d'Europe, d'Afrique, d'Amérique latine et d'Asie. D'autre part, le passage au XXIe siècle a été malheureusement endeuillé par le déferlement du terrorisme à l'échelle planétaire : la destruction des tours jumelles de New York en a été la manifestation la plus impressionnante. Comment ne pas voir dans ces événements la présence agissante du *mysterium iniquitatis* ?

Toutefois, à côté du mal, le bien n'est pas absent. Les dictatures qui s'étaient établies au-delà du rideau de fer n'ont pas réussi à étouffer le désir de liberté des *peuples assujettis. En Pologne, malgré les résistances du régime, naquit et s'affirma le mouvement syndical connu sous le nom de Solidarnośċ. Ce fut un signal de réveil qui suscita des échos ailleurs. Puis arriva 1989, désormais passé à l'histoire comme l'année au cours de laquelle fut abattu le mur de Berlin, avec, à sa suite, le commencement rapide de la débâcle de la dictature communiste dans les nations européennes où elle dominait depuis des décennies. Le XXe siècle a été aussi le siècle au cours duquel de nombreuses nations, soumises précédemment au régime colonial, ont acquis leur indépendance. Ainsi sont nés de nouveaux états qui, même au travers de conditionnements et de pressions, peuvent maintenant jouir de la faculté de décider de leur destinée. On doit aussi rappeler la création de divers organismes internationaux qui, après la Seconde Guerre mondiale, ont assumé la charge de pourvoir à la paix et à la sécurité des peuples, s'engageant à une distribution plus équitable des ressources disponibles, à la sauvegarde des droits de chaque personne et à la reconnaissance des attentes légitimes des divers groupes sociaux. Il faut enfin mentionner la naissance et les élargissements successifs de l'Union européenne.*

Dans la vie de l'Église également, ont existé des événements qui ont laissé une trace profonde, conduisant de manière positive à des changements notables et significatifs pour le présent et aussi – on l'espère – pour l'avenir du Peuple de Dieu. Parmi ces événements, une place de première importance doit certainement être attribuée au concile œcuménique Vatican II (1962-1965) et aux diverses initiatives qui en sont issues : la réforme liturgique, la constitution de nouveaux orga-

nismes pastoraux, le grand élan missionnaire, l'engagement dans le domaine œcuménique et dans le dialogue interreligieux, pour ne faire mention que des principales. Comment pourrait-on aussi sous-évaluer le bien spirituel et ecclésial qui est né de la célébration du Grand Jubilé de l'an 2000 ?

Le pape Jean-Paul II est un témoin privilégié de ces événements. Il a vécu lui-même les dramatiques et héroïques vicissitudes de son pays, la Pologne, à laquelle il demeure toujours lié. Dans les dernières décennies, il a été le protagoniste − d'abord comme prêtre, puis comme évêque et enfin comme pape − de nombreux événements de l'histoire de l'Europe et du monde entier. Il a consigné dans le livre que nous présentons certaines facettes de son expérience. Ce livre présente certaines de ses expériences et de ses réflexions, qui ont mûri en lui, sous la pression de multiples formes de mal, sans jamais perdre de vue la perspective du bien, convaincu que ce dernier aurait finalement prévalu. Passant en revue divers aspects de la réalité d'aujourd'hui, le Saint-Père, par une série de « conversations à cheval sur deux millénaires », a voulu réfléchir sur les phénomènes du présent à la lumière des événements du passé, dans lesquels il a cherché à découvrir les racines de ce qui arrive dans le monde d'aujourd'hui, pour offrir à ses contemporains, comme individus et comme peuples, la possibilité de parvenir, à travers une nouvelle visite attentive de la « mémoire », à une conscience plus vive de leur propre « identité ».

En écrivant ce livre, Jean-Paul II est revenu sur les thèmes principaux des conversations qui eurent lieu en 1993 à Castel Gandolfo. Deux philosophes polonais, les professeurs *Józef Tischner* et *Krzysztof Michalski*, fondateurs de l'Institut des sciences humaines (Institut für die Wissenschaften vom Menschen) dont le siège est à Vienne, lui proposèrent de développer une analyse critique, du point de vue aussi bien historique que philosophique, des deux dictatures qui ont marqué le XXᵉ siècle : le nazisme et le « socialisme réel ». Les conversations, enregistrées à ce moment-là, furent transcrites par la suite. Toutefois, le Saint-Père, reprenant aussi les questions soulevées dans ces dialogues, a estimé opportun d'élargir la perspective de son discours. Partant des conversations mentionnées, il a voulu aller au-delà, élargissant l'horizon de la réflexion : c'est ainsi qu'est né ce livre, qui affronte certains thèmes cruciaux pour l'avenir de l'humanité, après les premiers pas dans le troisième millénaire.

Le volume maintient la forme littéraire de la conversation, afin que le lecteur perçoive plus facilement qu'il ne s'agit pas d'un discours académique, mais d'un dialogue familier dans lequel, tout en affrontant avec rigueur les problèmes proposés en vue de rechercher des solutions appropriées, on ne prétend pas développer un discours exhaustif. Dans leur forme actuelle, les questions sont l'œuvre de la rédaction. Elles entendent stimuler l'attention du lecteur, et faciliter la perception exacte de la pensée du pape. Le souhait est que quiconque lit ce livre puisse trouver une réponse au moins à certaines des interrogations qu'il porte certainement dans son cœur.

Première partie

La limite imposée au mal

1

Mysterium iniquitatis
La coexistence du bien et du mal

Suite à la chute des deux puissants systèmes totali-taires, le nazisme en Allemagne et le « socialisme réel » en Union soviétique, qui ont pesé sur tout le XXe siècle et qui ont été responsables d'innombrables crimes, il semble que soit arrivé le temps d'une réflexion sur leur genèse et sur leurs effets, en particulier sur la significa-tion des idéologies qu'ils ont introduites dans l'histoire de l'humanité. Quel est, Très Saint Père, le sens de cette grande « éruption » du mal ?

Le XXe siècle a été, pour ainsi dire, le « théâtre » dans lequel sont entrés en scène des processus histo-riques déterminés et idéologiques, qui sont allés dans le sens d'une grande « éruption » du mal, mais cela a été aussi le cadre de leur dépassement. Est-il donc juste de considérer l'Europe seulement dans la perspective du mal qui s'est manifesté dans son his-toire récente ? Cette approche n'est-elle pas unilatérale ? L'histoire moderne de l'Europe, mar-quée – spécialement en Occident – par l'influence des Lumières, a aussi produit de nombreux fruits positifs. En cela se reflète la nature du mal, comme l'entend saint Thomas, à la suite de saint Augustin. Le mal est toujours l'absence d'un bien quelconque, qui devrait être présent dans un être déterminé ; il est une privation. Mais il n'est jamais une absence totale de bien. La façon dont le mal s'accroît et se développe sur le terrain sain du bien constitue un mystère. Cette part du bien que le mal n'a pas réussi à détruire et qui se propage malgré le mal, c'est aussi un mystère, et de plus l'un et l'autre avancent sur le même terrain. Le rappel de la parabole évangélique du bon grain et de l'ivraie (cf. Matthieu 13, 24-30) vient immédiatement à l'esprit. Lorsque les serviteurs demandent au maître : « Alors veux-tu donc que nous allions l'enlever [l'ivraie] ? », ce dernier répond d'une manière particulièrement significative : « Non, de peur qu'en enlevant l'ivraie, vour n'arrachiez le blé en même temps. Laissez-les pousser ensemble jusqu'à la moisson ; et, au temps de la moisson, je dirai aux moissonneurs : "Enlevez d'abord l'ivraie et liez-la en bottes pour la brûler ; quant au blé, rentrez-le dans mon grenier." [1] » Dans ce cas, la référence à la moisson renvoie au temps ultime de l'histoire, au temps eschatologique.

Cette parabole peut être comprise comme clé de lecture de toute l'histoire de l'homme. Dans les diverses époques et avec des significations variées, le « blé » croît avec l'« ivraie », et l'« ivraie » avec le « blé ». L'histoire de l'humanité est le théâtre de la coexistence du bien et du mal. Cela veut dire que, si le mal existe à côté du bien, le bien persévère donc à côté du mal et croît, pour ainsi dire, sur le même terrain, qui est la nature humaine. Cette dernière, en effet, n'a pas été détruite, elle n'est pas devenue complètement mauvaise, malgré le péché des origines. La nature a conservé sa propre capacité de bien, comme le montrent les faits qui se sont succédé aux différentes époques de l'histoire.

2

Idéologies du mal

Comment donc les idéologies du mal sont-elles nées ?
Quelles sont les racines du nazisme et du commu-
nisme ? Comment est-on parvenu à leur chute ?

Les interrogations proposées ont une profonde
signification philosophique et théologique. Il convient
de reconstruire la « philosophie du mal » dans sa
dimension européenne, et pas seulement européenne. Cette reconstruction nous conduit au-delà
des idéologies. Elle nous pousse à nous diriger vers
le monde de la foi. Il est nécessaire d'affronter le
mystère de Dieu et de la création, et en particulier le
mystère de l'homme. Ce sont les mystères que j'ai
cherché à développer au cours des premières années
de mon ministère comme successeur de Pierre par
les encycliques *Redemptor hominis*, *Dives in miseri-*
cordia et *Dominum et vivificantem* [2]. Ce triptyque
reflète en réalité le mystère trinitaire de Dieu. Tout
ce qui est contenu dans l'encyclique *Redemptor*
hominis, je l'avais apporté avec moi de Pologne. Il en
va de même des réflexions contenues dans l'ency-

clique *Dives in misericordia,* qui étaient le fruit de mon expérience pastorale en Pologne et tout spécialement à Cracovie. C'est là en effet que se trouve la tombe de sainte Faustine Kowalska, à qui le Christ a permis d'être une interprète particulièrement éclairée de la vérité sur la Divine Miséricorde. Cette vérité a suscité chez sœur Faustine une vie mystique extraordinairement riche. C'était une personne simple, sans instruction et, malgré cela, ceux qui lisent le *Journal* de ses révélations sont étonnés par la profondeur de l'expérience mystique qui s'y trouve.

J'en parle parce que les révélations de sœur Faustine, centrées sur le mystère de la Divine Miséricorde, se réfèrent à la période qui précède la Seconde Guerre mondiale. C'est précisément l'époque où naquirent et se développèrent les idéologies du mal que furent le nazisme et le communisme. Sœur Faustine devint celle qui diffusa l'annonce selon laquelle l'unique vérité capable de contrebalancer le mal de ces idéologies est le fait que Dieu est Miséricorde – c'était la vérité du Christ miséricordieux C'est pour cela que, lorsque je fus appelé sur le Siège de Pierre, j'ai ressenti fortement la nécessité de transmettre les expériences faites dans mon pays natal, mais appartenant au trésor de l'Église universelle.

L'encyclique sur l'Esprit Saint *Dominum et vivificantem* a eu, à l'inverse, sa gestation à Rome. Elle a donc mûri un peu plus tard. Elle s'est développée grâce à une méditation de l'Évangile de saint Jean, sur ce que Jésus dit pendant la dernière Cène. C'est précisément au cours de ces dernières heures de la vie mortelle du Christ qu'il y a eu la révélation peut-être la plus complète sur l'Esprit Saint. Parmi les paroles prononcées par Jésus en cette circonstance, on rencontre une affirmation très significative concernant cette question. Jésus affirme que l'Esprit Saint « dénoncera l'erreur du monde sur le péché » (Jean 16, 8). J'ai cherché à pénétrer ces paroles et cela m'a renvoyé aux premières pages du livre de la Genèse, aux événements qui ont pour nom le « péché originel ». Saint Augustin, avec son extraordinaire perspicacité, a caractérisé la nature de ce péché dans la formule suivante : *amor sui usque ad contemptum Dei* [3]. C'est précisément l'*amor sui* qui a poussé nos premiers parents dans la rébellion initiale et a aussi déterminé la diffusion ultérieure du péché dans toute l'histoire de l'homme. C'est à cela que se réfèrent les paroles du livre de la Genèse : « Vous serez comme des dieux, connaissant le bien et le mal » (Genèse 3, 5), c'est-à-dire que c'est vous-mêmes qui déciderez de ce qui est bien et de ce qui est mal.

Cette dimension originale du péché ne pouvait trouver une contrepartie appropriée que dans l'expression correspondante : « *amor Dei usque ad contemptum sui* » (« L'amour de Dieu jusqu'au mépris de soi »). Nous entrons ainsi en relation avec le mystère de la rédemption de l'homme, et, pour cette approche, c'est l'Esprit Saint qui nous guide. C'est Lui qui nous permet de pénétrer dans la profondeur du mystère de la croix, *mysterium crucis*, et de nous pencher en même temps sur l'abîme du mal, dont l'homme est à la fois l'artisan et la victime, comme on le voit dès les origines de son histoire. C'est exactement à cela que se réfère l'expression « dénoncer l'erreur du monde sur le péché ». Et le but d'une telle « dénonciation » n'est pas la condamnation du monde. Si l'Église, grâce à l'Esprit Saint, appelle le mal par son nom, elle le fait seulement dans le but d'indiquer la possibilité de le vaincre. Telles sont les dimensions de l'*amor Dei usque ad contemptum sui*. Et ce sont les justes dimensions de la miséricorde. En Jésus-Christ, Dieu s'est penché sur l'homme pour lui tendre la main, pour le relever et pour l'aider à reprendre son chemin avec une force nouvelle. L'homme n'est pas capable de se remettre debout tout seul ; il a besoin de l'aide de l'Esprit Saint. S'il refuse cette aide, il commet le péché que le Christ a appelé « blasphème contre l'Esprit », le déclarant en même temps irrémissible (cf. Matthieu 12, 31). Pourquoi irrémissible ? Parce qu'il exclut en l'homme le désir même du pardon. L'homme repousse l'amour et la miséricorde de Dieu, parce qu'il se considère lui-même comme Dieu. Il considère qu'il est en mesure de se suffire à lui-même.

J'ai mentionné brièvement les trois encycliques qui me semblent être un commentaire approprié de tout le magistère du concile Vatican II, ainsi que les situations complexes du moment historique qu'il nous a été donné de vivre.

Au cours des années, s'est forgée en moi la conviction que les idéologies du mal sont profondément enracinées dans l'histoire de la pensée philosophique européenne. Je dois ici me référer à certains faits liés à l'histoire de l'Europe, et de manière particulière à l'histoire de sa culture dominante. Quand fut publiée l'encyclique sur l'Esprit Saint, certains milieux en Occident ont réagi négativement, et cela d'une manière plutôt vive. D'où venait une telle réaction ? Elle provenait des mêmes origines que celles dont étaient nées, plus de deux cents ans auparavant, les Lumières européennes – en particulier françaises, sans pour autant exclure les Lumières anglaises, allemandes, espagnoles et italiennes. Les Lumières en Pologne ont pris une route tout à fait propre. À l'inverse, en ce qui concerne la Russie, il semble que cette dernière n'a pas eu à faire l'expérience de la secousse des Lumières. Dans ce pays, la crise de la tradition chrétienne arriva par une autre voie ; elle éclata au début du XXe siècle, avec une violence encore plus grande, sous la forme de la révolution marxiste radicalement athée.

Pour mieux illustrer un tel phénomène, il faut remonter à la période antérieure aux Lumières, en particulier à la révolution de la pensée philosophique opérée par Descartes. Le « *cogito, ergo sum* » (« Je pense donc je suis ») apporta un bouleversement dans la manière de faire de la philosophie. Dans la période pré-cartésienne, la philosophie, et donc le *cogito*, ou plutôt le *cognosco* (je connais), étaient subordonnés à l'*esse* (être), qui était considéré comme quelque chose de primordial. Pour Descartes, à l'inverse, l'*esse* apparaissait secondaire, tandis qu'il considérait le *cogito* comme primordial. Ainsi, non seulement on opérait un changement de direction dans la façon de faire de la philosophie, mais on abandonnait de manière décisive ce que la philosophie avait été jusque-là, en particulier la philosophie de saint Thomas d'Aquin : *la philosophie de l'*esse. Auparavant, tout était interprété dans la perspective de l'*esse* et l'on cherchait une explication de tout selon cette perspective. Dieu comme Être pleinement autosuffisant (*ens subsistens*) était considéré comme le soutien indispensable pour tout *ens non subsistens*, pour tout *ens participatum*, c'est-à-dire pour tout être créé, et donc aussi pour l'homme. Le « *cogito, ergo sum* » portait en lui la rupture avec cette ligne de pensée. L'*ens cogitans* (être pensant) devenait désormais primordial. Après Descartes, la philosophie devient une science de la pure pensée : tout ce qui est *esse* – tout autant le monde créé que le Créateur – se situe dans le champ du *cogito*, en tant que contenu de la conscience humaine. La philosophie s'occupe des êtres en tant que contenus de la conscience, et non en tant qu'existants en dehors d'elle.

Parvenu à ce point, je voudrais m'arrêter un instant sur les traditions de la philosophie polonaise, en particulier sur ce qui s'est produit après l'arrivée au pouvoir du parti communiste. Toute forme de pensée qui ne correspondait pas au modèle marxiste fut fortement entravée dans les universités. Et cela se réalisa grâce au système le plus simple et le plus radical : en éliminant les personnes qui représentaient cette manière de faire de la philosophie. Il est particulièrement significatif qu'aient été éliminés de leurs chaires respectives au premier chef les représentants de la philosophie réaliste, reconnus comme les représentants de la phénoménologie réaliste, tels Roman Ingarden et, de l'école de Lvov-Varsovie, Izydora Dąmbska. L'opération fut moins aisée avec les représentants du thomisme, étant donné qu'ils se trouvaient à l'université catholique de Lublin et aux facultés de théologie de Varsovie et de Cracovie, de même que dans les grands séminaires. Dans un deuxième temps, ils furent cependant, eux aussi, rattrapés sans ménagement par la main du régime. Étaient aussi regardés avec suspicion les universitaires de valeur qui conservaient une attitude critique à l'égard du matérialisme dialectique. Parmi eux, je me souviens en particulier de Tadeusz Kotarbiński, Maria Ossowska, Tadeusz Czeżowski. Des cours comme ceux de logique et de méthodologie des sciences ne pouvaient évidemment pas être enlevés de l'*ordo* universitaire ; cependant les professeurs « dissidents » pouvaient être gênés de diverses manières, en limitant par tous les moyens leur influence sur la formation des étudiants.

Ce qui survint en Pologne après l'accès au pouvoir des marxistes a donné des fruits similaires à ceux qui avaient été produits en Europe occidentale à la suite de la période des Lumières. On a parlé, entre autres, du « déclin du réalisme thomiste », et on entendait par là l'abandon du christianisme comme source de l'action philosophique. En définitive, c'est la possibilité même de rejoindre Dieu qui était mise en cause. Dans la logique du « *cogito, ergo sum* », Dieu était réduit à un contenu de la conscience humaine ; il ne pouvait plus être considéré comme Celui qui explique jusqu'au plus profond le *sum* humain. Il ne pouvait donc demeurer comme l'*ens subsistens*, l'être autosuffisant, comme le Créateur, Celui qui donne l'existence, ni même comme Celui qui se donne lui-même dans le mystère de l'Incarnation, de la

Rédemption et de la Grâce. Le Dieu de la Révélation avait cessé d'exister comme « Dieu des philosophes ». Seule demeurait l'idée de Dieu, comme thème d'une libre élaboration de la pensée humaine.

C'est ainsi que s'écroulèrent aussi les bases de la « philosophie du mal ». Le mal, en effet, dans son sens réaliste, ne peut exister qu'en relation au bien et, en particulier, en relation à Dieu, Bien suprême. Le livre de la Genèse parle précisément de ce mal. C'est dans cette perspective qu'on peut comprendre le péché originel, et aussi tout péché personnel de l'homme. Mais ce mal a été racheté par le Christ, par la croix. Ou, plus précisément, l'homme a été racheté, lui qui, par l'action du Christ, est devenu participant de la vie même de Dieu. Dans la mentalité des Lumières, tout cela, le grand drame de l'histoire du Salut, avait disparu. L'homme était resté seul : seul comme créateur de sa propre histoire et de sa propre civilisation ; seul comme celui qui décide de ce qui est bon et de ce qui est mauvais, comme celui qui existerait et agirait *etsi Deus non daretur* – même si Dieu n'existait pas.

Si l'homme peut décider par lui-même, sans Dieu, de ce qui est bon et de ce qui est mauvais, il peut aussi disposer qu'un groupe d'hommes soit anéanti. Des décisions de ce genre furent prises par exemple sous le Troisième Reich, par des personnes qui, étant arrivées au pouvoir par des voies démocratiques, s'en servirent pour mettre en œuvre les programmes pervers de l'idéologie national-socialiste qui s'inspirait de présupposés racistes. Des décisions analogues furent prises par le parti communiste de l'Union soviétique et des pays soumis à l'idéologie marxiste. C'est dans ce contexte qu'a été perpétrée l'extermination des Juifs, de même que celle d'autres groupes, comme par exemple l'ethnie rom, les paysans d'Ukraine, le clergé orthodoxe et catholique en Russie, en Biélorussie et au-delà de l'Oural. De manière analogue, les personnes gênantes pour le régime furent persécutées : par exemple les anciens combattants de septembre 1939, les soldats de l'Armée nationale en Pologne après la Seconde Guerre mondiale, les représentants de l'intelligentsia qui ne partageaient pas l'idéologie marxiste ou nazie. Il s'agissait normalement d'élimination au sens physique, mais parfois aussi d'élimination au sens moral : la personne était empêchée d'exercer ses droits, de manière plus ou moins drastique.

Parvenus à ce point, on ne peut omettre d'aborder une question plus que jamais actuelle et douloureuse. Après la chute des régimes édifiés sur les « idéologies du mal », dans les pays concernés, les formes d'extermination évoquées ci-dessus ont en fait cessé. Demeure toutefois l'extermination légale des êtres humains conçus et non encore nés. Il s'agit encore une fois d'une extermination décidée par des Parlements élus démocratiquement, dans lesquels on en appelle au progrès civil des sociétés et de l'humanité entière. D'autres formes de violation de la loi de Dieu ne manquent pas non plus. Je pense par exemple aux fortes pressions du Parlement européen pour que soient reconnues les unions homosexuelles comme une forme alternative de famille, à laquelle reviendrait aussi le droit d'adopter. On peut et même on doit se poser la question de savoir s'il ne s'agit pas, ici encore, d'une nouvelle « idéologie du mal », peut-être plus insidieuse et plus occulte, qui tente d'exploiter, contre l'homme et contre la famille même, les droits de l'homme.

Pourquoi tout cela arrive-t-il ? Quelle est la racine de ces idéologies de l'après-Lumières ? En définitive, la réponse est simple : cela arrive parce que Dieu en tant que Créateur a été rejeté, et du même coup la source de détermination de ce qui est bien et de ce qui est mal. On a aussi rejeté la notion de ce qui, de manière plus profonde, nous constitue comme êtres humains, à savoir la notion de « nature humaine » comme « donné réel », et à sa place, on a mis un « produit de la pensée » librement formée et librement modifiable en fonction des circonstances. Je considère qu'une réflexion plus attentive sur cette question peut nous conduire au-delà de la rupture cartésienne. Si nous voulons parler de manière sensée du bien et du mal, nous devons revenir à saint Thomas d'Aquin, c'est-à-dire à la philosophie de l'être. Grâce, par exemple, à la méthode de la phénoménologie, on peut examiner des expériences comme celles de la moralité, de la religion ou de l'être-homme, en en tirant un enrichissement significatif pour nos connaissances. On ne peut cependant oublier que toutes ces analyses présupposent implicitement la réalité de l'être-homme, à savoir qu'il existe un être créé, et aussi un être absolu. Si l'on ne part pas de tels présupposés « réalistes », on finit par se mouvoir dans le vide.

3

La limite imposée au mal
dans l'histoire de l'Europe

L'homme a parfois l'impression que le mal est tout-puissant, qu'il domine le monde de manière absolue. Existe-t-il selon vous, Très Saint-Père, une limite infranchissable pour le mal ?

Il m'a été donné de faire l'expérience personnelle des « idéologies du mal ». C'est quelque chose qui ne peut s'effacer de ma mémoire. Ce fut tout d'abord le nazisme. Ce que l'on pouvait voir en ces années-là était quelque chose de terrible. À ce moment pourtant, de nombreux aspects du nazisme demeuraient encore cachés. La véritable dimension du mal qui se déchaînait en Europe ne fut pas perçue de tous, ni même de ceux d'entre nous qui étaient au centre de ce tourbillon. Nous vivions plongés dans une grande éruption du mal et ce n'est que peu à peu que nous avons commencé à nous rendre compte de sa réelle importance. Les responsables de ce mal faisaient en effet beaucoup d'efforts pour cacher leurs méfaits aux yeux du monde. Les nazis, durant la guerre comme plus tard, dans l'est de l'Europe, les communistes, tous cherchaient à cacher ce qu'ils faisaient à l'opinion publique. Pendant longtemps, l'Occident ne voulut pas croire à l'extermination des Juifs. C'est seulement par la suite que cela parvint pleinement à la lumière. On ne savait pas, même en Pologne, tout ce que les nazis avaient fait et faisaient aux Polonais, ni ce que les Soviétiques avaient fait aux officiers polonais à Katyń, et de même les événements particulièrement dramatiques des déportations n'étaient connus que partiellement.

Plus tard, en réalité une fois la guerre finie, je pensais en moi-même : le Seigneur Dieu a accordé au nazisme douze années d'existence et après ces douze années ce système s'est écroulé. On voit ici la limite imposée à une telle folie par la Divine Providence. À dire vrai, il ne s'agissait pas seulement d'une folie – mais d'une « bestialité », comme l'écrivit le professeur Konstanty Michalski [4]. Mais de fait, la Divine Providence n'a accordé que ces douze années au déchaînement de cette fureur bestiale. Si le communisme a survécu plus longtemps et s'il a encore devant lui, pensais-je alors en moi-même, une perspective de développement ultérieur, il doit y avoir un sens à tout cela.

En 1945, à la fin de la guerre, le communisme apparaissait très solide et très dangereux, beaucoup plus qu'en 1920. On avait alors l'impression très nette que les communistes pouvaient conquérir la Pologne et aller au-delà, en Europe occidentale, se lançant à la conquête du monde. Ce ne fut pas le cas. « Le miracle sur la Vistule », c'est-à-dire le triomphe de Piłsudski lors de la bataille contre l'Armée rouge, réduisit les prétentions soviétiques. En effet, pendant la Seconde Guerre mondiale, après la victoire sur le nazisme, les communistes se préparaient effrontément à s'emparer du monde, ou en tout cas de l'Europe. Au départ, cela conduisit à la répartition du continent en sphères d'influence, selon les accords de la conférence de Yalta, en février 1945. Ces accords furent respectés seulement en apparence par les communistes, qui les violèrent de fait de diverses manières, et avant tout par l'invasion idéologique et la propagande politique, non seulement en Europe mais aussi en d'autres parties du monde. Pour moi, il fut tout de suite clair que leur domination durerait beaucoup plus longtemps que le nazisme. Combien de temps ? Il était difficile de le prévoir. On se prenait à penser en ce temps-là qu'un tel mal était en quelque façon nécessaire au monde et à l'homme. Il arrive, en effet, qu'en certaines situations concrètes de l'existence humaine le mal se révèle dans une certaine mesure utile en ce qu'il crée des occasions pour le bien. Goethe n'a-t-il pas qualifié le diable comme « une partie de cette force, qui toujours veut le mal et toujours crée le bien » [5] ? Saint Paul, pour sa part, lance un avertissement à ce propos : « Ne te laisse pas vaincre par le mal, sois vainqueur du mal par le bien » (Romains 12, 21). En définitive on arrive ainsi, sous l'incitation du mal, à mettre en œuvre un bien plus grand.

Si je me suis arrêté ici à relever la limite imposée au mal dans l'histoire de l'Europe, je dois en

conclure que cette limite est constituée par le bien
– le bien divin et le bien humain qui se sont manifestés dans l'histoire elle-même, au cours du siècle
passé et de millénaires entiers. De toute façon, le
mal dont on a fait une expérience directe ne s'oublie
pas facilement. On peut seulement le pardonner. Et
que signifie pardonner, sinon en appeler au bien,
qui est plus grand que n'importe quel mal ? En définitive, ce bien n'a son fondement qu'en Dieu. Seul
Dieu est ce Bien. La limite imposée au mal par le
Bien divin en est arrivée à faire partie de l'histoire de
l'homme, en particulier de l'histoire de l'Europe,
par l'action du Christ. Il n'est donc pas possible de
séparer le Christ de l'histoire de l'homme. C'est justement ce que j'ai dit à l'occasion de ma première
visite en Pologne, à Varsovie, sur la Place de la Victoire. J'ai affirmé alors qu'il n'était pas possible de
séparer le Christ de l'histoire de ma nation. Est-il
possible de le séparer de l'histoire de quelque autre
nation ? Est-il possible de le séparer de l'histoire de
l'Europe ? De fait, c'est seulement en lui que toutes
les nations et toute l'humanité peuvent « entrer dans
l'espérance » !

4

La rédemption
comme limite divine imposée au mal

*Comment doit-on entendre plus précisément cette
limite au mal dont nous sommes en train de parler ?
En quoi consiste l'essence de cette limite ?*

Quand je parle de limite imposée au mal, je
pense avant tout à la limite historique qui, grâce à la
Providence, a été imposée au mal des totalitarismes
qui se sont affirmés au XXe siècle : le national-socialisme, puis le communisme marxiste. Mais il m'est
difficile, dans cette perspective, de ne pas m'attarder
sur quelque autre réflexion de caractère théologique.
Il ne s'agit pas ici d'entreprendre le type de ques-
tionnement qui est parfois qualifié de « théologie de
l'histoire ». Il s'agit plutôt d'une démarche qui
cherche à descendre plus en profondeur, au moyen
de la réflexion théologique, jusqu'à rejoindre les
racines du mal, pour découvrir la possibilité de le
surmonter grâce au Christ.

C'est Dieu lui-même qui peut imposer une limite
définitive au mal. Par essence, Il est en effet la Justice. Il l'est parce qu'il est Celui qui récompense le

bien et punit le mal, en parfaite adéquation à la réalité. Ici, il s'agit du mal moral, il s'agit du péché. Dans le paradis terrestre apparaît déjà à l'horizon de l'histoire de l'homme le Dieu qui juge et qui punit. Le livre de la Genèse décrit en détail la peine subie par nos premiers parents après leur péché (cf. Genèse 3, 14-19). Et leur peine s'est prolongée tout au long de l'histoire de l'homme. Le péché originel est en effet un péché héréditaire. Comme tel, il dénote la tendance peccamineuse innée de l'homme, l'inclination enracinée en lui au mal plutôt qu'au bien. Il y a en l'homme une faiblesse congénitale de nature morale, qui va de pair avec la fragilité de son être, avec sa fragilité psychologique et physique. À cette fragilité s'ajoutent les multiples souffrances que la Bible, depuis ses premières pages, présente comme punitions du péché.

On peut donc dire que l'histoire de l'homme est, depuis les origines, marquée par la limite que le Dieu Créateur impose au mal. Le concile Vatican II s'est beaucoup exprimé sur ce thème dans la constitution pastorale *Gaudium et spes*. Il vaudrait la peine de rapporter ici l'exposé que le concile consacre en introduction à la situation de l'homme dans le monde contemporain – et pas seulement en lui. Mais je me limiterai à quelques citations sur le thème du péché et de la tendance peccamineuse de l'homme :

> Car l'homme, s'il examine son cœur, se découvre enclin aussi au mal, et emmêlé dans de nombreux maux qui ne peuvent provenir de son Créateur,

qui est bon. Refusant souvent de reconnaître Dieu comme son principe, l'homme a, par là même, détruit l'ordre juste qui l'orientait vers sa fin ultime en même temps que tout ce qui l'ordonnait à lui-même, aux autres hommes, à toutes les choses créées. Ainsi c'est en lui-même que l'homme est divisé. C'est pourquoi toute la vie des hommes, individuelle ou collective, se révèle comme une lutte, à la vérité dramatique, entre le bien et le mal, entre la lumière et les ténèbres. Bien plus, l'homme se découvre incapable de lutter par lui-même, de façon efficace, contre les assauts du mal, de sorte que chacun se sent comme chargé de chaînes. Mais le Seigneur lui-même est venu pour libérer l'homme et le fortifier, le rénovant inté-rieurement et jetant dehors « le prince de ce monde » (Jean 12, 31), qui le retenait dans l'escla-vage du péché. Le péché, quant à lui, amoindrit l'homme lui-même, en le détournant de la pléni-tude à atteindre. À la lumière de cette Révélation, la sublime vocation en même temps que la pro-fonde misère dont les hommes font l'expérience trouvent leur explication ultime [6].

Il n'est donc pas possible de parler de la « limite imposée au mal » sans considérer le contenu des paroles que je viens de rapporter. Dieu lui-même est venu nous sauver, libérer l'homme du mal, et cette venue de Dieu, cet « Avent », que nous célébrons de façon si joyeuse dans les semaines qui précèdent la Nativité du Seigneur, a un caractère rédempteur. Il n'est pas possible de penser la limite imposée par Dieu lui-même au mal sous ses diverses formes sans se référer au mystère de la Rédemption.

Le mystère de la Rédemption n'est-il pas la réponse à ce mal historique qui, sous diverses formes, revient dans l'existence de l'homme ? Est-ce aussi la réponse au mal de notre temps ? Il pourrait sembler que le mal des camps de concentration, des chambres à gaz, de la cruauté de certaines interventions policières, finalement de la guerre totale et des systèmes basés sur le désir de puissance – un mal qui, entre autres, effaçait de façon programmée la présence de la croix –, il pourrait sembler, dis-je, que ce mal fût plus puissant que tout bien. Si toutefois nous regardons d'un œil plus pénétrant l'histoire des peuples et des nations qui ont traversé l'épreuve des systèmes totalitaires et des persécutions à cause de la foi, nous découvrirons que c'est précisément là que s'est révélée avec clarté la présence victorieuse de la croix du Christ. Et cette présence nous apparaîtra peut-être, sur ce fond dramatique, encore plus impressionnante. À ceux qui sont soumis à l'action programmée du mal, il ne reste que le Christ et sa croix comme source d'autodéfense spirituelle, comme promesse de victoire. Le sacrifice de Maximilien Kolbe dans le camp d'extermination d'Auschwitz n'est-il pas un signe de la victoire sur le mal ? Et n'en fut-il pas de même pour Edith Stein – grand penseur de l'école de Husserl – qui, brûlée dans le four crématoire de Birkenau, partagea le sort de nombreux autres fils et filles d'Israël ? Et hormis ces deux figures, qu'on a l'habitude d'associer, combien d'autres, dans cette histoire douloureuse, prisonniers comme eux, se détachent par la grandeur de leur témoignage rendu au Christ crucifié et ressuscité !

Le mystère de la Rédemption du Christ est très profondément enraciné dans notre existence. Le monde contemporain est dominé par la civilisation technique ; cette dernière bénéficie aussi de l'efficacité de ce mystère, comme le concile Vatican II nous l'a rappelé :

> Donc, si l'on demande comment on peut surmonter cette misère, les chrétiens confessent que toutes les activités de l'homme, qui quotidiennement sont dangereusement menacées par l'orgueil de l'homme et l'amour désordonné de soi, doivent être purifiées et amenées à leur perfection par la croix et la résurrection du Christ. En effet, racheté par le Christ et devenu créature nouvelle dans l'Esprit Saint, l'homme peut et doit aimer ces choses que Dieu lui-même a créées. Car c'est de Dieu qu'il les reçoit, et il les voit et les respecte comme jaillissant pour ainsi dire de la main de Dieu. Il remercie son Bienfaiteur pour elles, il use et jouit de ce qui est créé dans un esprit de pauvreté et de liberté, et ainsi il est introduit dans la possession véritable du monde, comme quelqu'un qui n'a rien et qui possède tout [7].

On peut dire que, dans toute la constitution *Gaudium et spes*, le Concile développe la définition du monde présentée dès le début du document :

> [Le Concile] a donc en vue le monde des hommes, la famille humaine tout entière avec l'ensemble des réalités au sein desquelles elle vit ; le monde, théâtre de l'histoire du genre humain, marqué par l'activité de l'homme, ses défaites et ses victoires ; le monde qui, selon la foi des chrétiens, a été créé et maintenu par l'amour du Créateur, le monde qui était tombé sous l'esclavage du péché, mais qui a été libéré par le Christ crucifié et ressuscité par sa

victoire sur le Malin, dont il a brisé le pouvoir pour que le monde soit transformé selon le dessein de Dieu et qu'il parvienne à son accomplissement [8].

En parcourant les pages de *Gaudium et spes*, on note que des « mots-clés » reviennent sans cesse : croix, résurrection, mystère pascal. Tous signifient la même chose : rédemption. Le monde est racheté par Dieu. Les scolastiques parlaient, à ce sujet, de *status naturæ redemptæ* – état de la nature rachetée. Bien que le Concile n'utilise pratiquement pas le mot « rédemption », il s'y réfère toutefois en de nombreux endroits. Dans le langage du Concile, la rédemption est comprise comme un moment du mystère pascal, qui culmine dans la résurrection. Y a-t-il une raison pour un tel choix ? Quand j'ai connu de plus près la théologie orientale, j'ai mieux compris comment, derrière la vision conciliaire, il y avait une importante caractéristique œcuménique. C'est dans l'insistance sur la résurrection que la spiritualité spécifique des plus grands parmi les Pères de l'Orient chrétien a trouvé son expression. Si la Rédemption constitue la limite divine imposée au mal, cela n'arrive que pour la raison suivante : en elle le mal est radicalement vaincu par le bien, la haine par l'amour, la mort par la résurrection.

5

Le mystère de la Rédemption

À la lumière de ces réflexions, apparaît l'exigence d'une réponse plus complète aux questions concernant la nature de la Rédemption. Qu'est-ce que la Rédemption dans le contexte du combat entre le bien et le mal dans lequel l'homme est engagé ?

Cette lutte est parfois présentée en prenant appui sur l'image de la balance. En nous référant à un tel symbole, on pourrait dire que Dieu, par le sacrifice de son Fils sur la croix, a mis cette expiation d'une valeur infinie sur le plateau du bien, pour que, en fin de compte, ce plateau puisse toujours l'emporter. Le mot « rédempteur », qui, en polonais, se dit *Odku-piciel*, fait référence au verbe *odkupic*, qui signifie « racheter ». Du reste, il en va de même avec le terme latin *redemptor*, dont l'étymologie est liée au verbe *redimere* (racheter). Cette analyse étymo-logique pourrait nous conduire à la compréhension de la réalité de la Rédemption.

D'autres concepts s'associent étroitement à celui-là, comme ceux de rémission et aussi de justification. Ces deux vocables appartiennent au langage de l'Évangile. Le Christ remettait les péchés, soulignant avec force le pouvoir que le Fils de l'homme avait de le faire. Quant on lui porta le paralytique, il dit d'abord : « Mon fils, tes péchés sont pardonnés » (Marc 2, 5) ; puis il ajouta : « Lève-toi, prends ton brancard et rentre chez toi » (Marc 2, 11). Il mettait ainsi en évidence, de manière implicite, que le péché est un mal plus grand que la paralysie du corps. Quand, après la résurrection, il se présenta pour la première fois au Cénacle où étaient réunis les apôtres, il leur montra ses mains transpercées et son côté, puis il souffla sur eux et leur dit : « Recevez l'Esprit Saint. Tout homme à qui vous remettrez ses péchés, ils lui seront remis ; tout homme à qui vous maintiendrez ses péchés, ils lui seront maintenus » (Jean 20, 22-23). De cette manière, le Christ révélait que le pouvoir de remettre les péchés, que Dieu seul possède, est donné à l'Église. En même temps, il confirmait, une fois encore, que le péché est le plus grand mal dont l'homme doit être libéré et il montrait aussi que la faculté d'opérer une telle libération est confiée à l'Église en vertu de la passion et de la mort rédemptrice du Christ.

Saint Paul exprimera la même vérité de manière encore plus profonde par le concept de justification. Dans les lettres de l'apôtre – tout particulièrement dans les lettres aux Romains et aux Galates –, la doctrine sur la justification prend aussi une connotation polémique. Formé dans les écoles des pharisiens, qui sont versés dans l'étude de l'Ancienne Alliance, Paul conteste leur conviction que la Loi est la source de la justification. En réalité, affirme-t-il, l'homme n'accède pas à la justification par des actes prescrits par la Loi, même par l'observance des multiples prescriptions à caractère rituel, auxquelles était attribuée une grande importance. La justification a sa source dans la foi au Christ (cf. Galates 2, 15-21). C'est le Christ crucifié qui justifie l'homme pécheur chaque fois que ce dernier, en vertu de sa propre foi dans la Rédemption que le Christ a accomplie, se repent de ses péchés, se convertit et revient à Dieu comme à son Père. Ainsi donc, le concept de justification est, d'un certain point de vue, une expression encore plus profonde de ce qui est contenu dans le mystère de la Rédemption. Pour que l'homme soit justifié devant Dieu, ses efforts ne suffisent pas ; il est nécessaire qu'il soit rejoint par la Grâce qui vient du sacrifice du Christ. En effet, seule l'immolation du Christ sur la Croix a le pouvoir de rendre l'homme juste devant Dieu.

La résurrection du Christ met en évidence le fait que seule la mesure du bien introduit par Dieu dans l'histoire par le mystère de la Rédemption est d'une grandeur telle qu'elle correspond pleinement à la vérité de l'être humain. Le mystère pascal devient ainsi la mesure définitive de l'existence de l'homme dans le monde créé par Dieu. Dans ce mystère, ne nous est pas seulement révélée la vérité eschatologique, plénitude de l'Évangile, c'est-à-dire de la Bonne Nouvelle. En lui se dévoile aussi une lumière qui se répand sur toute l'existence humaine dans sa dimension temporelle et qui, par conséquent, se reflète sur le monde créé. Le Christ, par sa résurrection, a pour ainsi dire « justifié » l'œuvre de la création et en particulier la création de l'homme, en ce sens qu'il a révélé la « juste mesure » du bien tel que Dieu l'entendait à l'origine de l'histoire humaine. Cette mesure n'est pas seulement celle que Dieu a prévue dans la création et qui a ensuite été compromise par l'homme à cause du péché ; c'est une mesure surabondante, dans laquelle le dessein initial trouve sa réalisation la plus haute (cf. Genèse 3, 14-15). Dans le Christ, l'homme est appelé à une vie nouvelle, la vie de fils dans le Fils, expression parfaite de la gloire de Dieu : *gloria Dei vivens homo* [9].

6

La rédemption : victoire donnée comme responsabilité à l'homme

La rédemption, la rémission et la justification sont donc des expressions de l'amour de Dieu et de sa miséricorde à l'égard de l'homme. Quelle est la relation entre le mystère de la Rédemption et la liberté humaine ? Comment, à la lumière de la Rédemption, se présente le chemin que l'homme doit choisir pour réaliser pleinement sa liberté ?

Dans le mystère de la Rédemption, la victoire du Christ sur le mal est donnée à l'homme non seulement comme un avantage personnel, mais aussi comme une responsabilité. L'homme l'assume en se mettant en route sur le chemin de la vie intérieure, à savoir sur le chemin d'un travail conscient sur lui-même, travail dont le Christ est le Maître. L'Évangile appelle l'homme à suivre précisément ce chemin. Le « suis-moi ! » du Christ résonne en de nombreuses pages de l'Évangile et il est adressé à des personnes différentes – non seulement aux pêcheurs de Galilée que Jésus appelle à devenir ses apôtres (cf. Matthieu 4, 19 ; Marc 1, 17 ; Jean 1, 43) –, mais aussi, par exemple, au jeune homme riche auquel se réfèrent les évangiles synoptiques (cf. Matthieu 19, 16-22 ; Marc 10, 17-22 ; Luc 18, 18-23). Le dialogue de Jésus avec lui est l'un des textes-clés auxquels il faut revenir constamment, sous divers angles, comme je l'ai fait, par exemple, dans l'encyclique *Veritatis splendor* [10].

Le « suis-moi ! » est une invitation à entreprendre le chemin sur lequel nous conduit la dynamique intérieure du mystère de la Rédemption. C'est à ce chemin que se réfère l'enseignement, largement diffusé dans les traités sur la vie intérieure et sur l'expérience mystique, concernant les trois étapes à travers lesquelles doit passer celui qui veut « suivre le Christ ». Ces trois étapes sont parfois appelées des « voies ». On parle alors de la voie purgative, de la voie illuminative et enfin de la voie unitive. En réalité, ce ne sont pas trois voies différentes, mais trois aspects de la même voie sur laquelle le Christ appelle tout homme, comme autrefois il a invité le jeune homme de l'Évangile.

Lorsque le jeune homme demande : « Maître, que dois-je faire de bon pour avoir la vie éternelle ? », le Christ lui répond : « Si tu veux entrer dans la vie, observe les commandements » (Matthieu 19, 16-17 et textes évangéliques parallèles). Et quand le jeune homme continue à lui demander : « Lesquels ? », le Christ lui rappelle simplement les principaux commandements du Décalogue, en particulier ceux de la « seconde Table », c'est-à-dire ceux qui concernent les rapports avec le prochain. On sait toutefois que, dans l'enseignement du Christ, tous les commandements se trouvent résumés dans le commandement d'aimer Dieu par-dessus tout et le prochain comme soi-même. Il le dit expressément à un docteur de la Loi qui l'avait interrogé (cf. Matthieu 22, 34-40 ; Marc 12, 28-31). Entendue correctement, l'observance des commandements est synonyme de la voie purgative : elle signifie en effet vaincre le péché, le mal moral sous ses diverses formes. Et cela porte à une purification intérieure progressive.

En même temps, cela permet de découvrir des valeurs. On peut donc conclure que la voie purgative débouche tout naturellement sur la voie illuminative. Les valeurs sont en effet des lumières qui éclairent l'existence et qui, au fur et à mesure que l'homme travaille sur lui-même, brillent toujours plus intensément à l'horizon de sa vie. Donc parallèlement à l'observance des commandements – qui a avant tout une signification purgative –, les vertus se développent en l'homme. Ainsi, par exemple, en observant le commandement : « Tu ne tueras pas ! », l'homme découvre la valeur de la vie sous divers aspects et apprend à avoir un respect toujours plus profond pour elle. En observant le commandement : « Tu ne commettras pas d'adultère ! », l'homme fait sienne la vertu de pureté, et cela signifie qu'il découvre toujours mieux la beauté gratuite du corps humain, de la masculinité et de la féminité. C'est précisément cette beauté gratuite qui devient la lumière de ses actes. En observant le commandement : « Tu ne feras pas de faux témoignage ! », l'homme apprend la vertu de vérité. Non seulement il exclut de sa vie tout mensonge et toute hypocrisie, mais il développe en lui-même une sorte d'« instinct de la vérité », qui guide tout son agir. Et en vivant ainsi dans la vérité, il acquiert dans son humanité même une « véracité » connaturelle.

De la sorte, sur le chemin de la vie intérieure, l'étape illuminative émerge graduellement de l'étape purgative. Avec le temps, dans la mesure où l'homme suit avec persévérance le Maître, qui est le Christ, il ressent toujours moins à l'intérieur de lui-même le poids de la lutte contre le péché, et il jouit toujours plus de la lumière divine, qui envahit toute la création. Cela est extrêmement important, car il est ainsi permis à l'homme de sortir d'une situation où il est constamment exposé intérieurement au risque de pécher – ce qui toutefois, sur cette terre, reste dans une certaine mesure toujours présent –, afin de se mouvoir avec une liberté toujours plus grande au milieu de tout le monde créé. Il conserve également cette liberté et cette simplicité face aux êtres humains, y compris ceux de l'autre sexe. La lumière intérieure éclaire ses actes et lui montre tout le bien du monde créé comme provenant de la main de Dieu. De cette façon, la voie purgative et, à son tour, la voie illuminative constituent l'entrée naturelle dans la voie appelée unitive. C'est l'ultime étape du chemin intérieur, celle où l'âme fait l'expérience d'une union particulière à Dieu. Cette union se réalise dans la contemplation de l'Être divin et dans l'expérience de l'amour qui en jaillit avec une intensité croissante. On anticipe ainsi, en quelque sorte, ce que sera la part de l'homme dans l'éternité, au-delà de la limite de la mort et de la tombe. Le

Christ, en effet, en tant que souverain Maître de vie spirituelle, et aussi tous ceux qui se sont formés à son école, enseignent qu'*en cette vie* on peut déjà être introduit dans la voie de l'union à Dieu.

La constitution dogmatique *Lumen gentium* affirme : « Le Christ, qui s'est fait obéissant jusqu'à la mort et qui pour cela a été exalté par le Père (cf. Philippiens 2, 8-9), est entré dans la gloire de son Royaume. Tout lui est soumis, jusqu'au moment où lui-même se soumettra au Père avec toutes les choses créées, pour que Dieu soit tout en tous (cf. 1 Corinthiens 15, 27-28) [11]. » Comme on le voit, le concile se situe dans un contexte très large, montrant en quoi consiste la participation à la mission royale du Christ. En même temps, cependant, ses paroles nous aident à comprendre comment l'union à Dieu peut se réaliser dans la vie présente. Si la voie royale indiquée par le Christ conduit en définitive à l'état où « Dieu sera tout en tous », l'union à Dieu qui se réalise ici-bas s'achève sur la base de ce même principe. L'homme trouve Dieu en tout ; il est en contact avec Lui en tout et à travers tout. Les choses créées cessent d'être un danger pour lui, comme elles l'étaient surtout lorsqu'il parcourait la voie purgative. Les choses créées, et particulièrement les personnes, non seulement retrouvent leur lumière propre, cachée en elles par le Dieu Créateur, mais, si on peut ainsi s'exprimer, « elles rendent accessible » Dieu lui-même, de la manière dont Il a voulu se révéler à l'homme : comme Père, comme Rédempteur et comme Époux.

Deuxième partie

Liberté et responsabilité

7

Pour un juste usage de la liberté

Après la chute des systèmes totalitaires dans les-quels la réduction des hommes en esclavage avait atteint son paroxysme, s'est ouverte, pour les hommes opprimés, la perspective de la liberté, c'est-à-dire la possibilité de décider de soi-même et par soi-même. De nombreuses opinions ont été exprimées à ce sujet. La question fondamentale est la suivante : comment utiliser ces capacités de libre décision, évitant à l'avenir un retour du mal qui agit dans de tels sys-tèmes et de telles idéologies ?

Si, après la chute des systèmes totalitaires, les sociétés se sont senties libres, presque simultané-ment est né un problème de fond : celui de l'usage de la liberté. Il s'agit d'un problème qui comporte des dimensions non seulement individuelles, mais aussi collectives. Il attend donc une solution en quelque sorte systématique. Si je suis libre, cela veut dire que je peux faire un usage bon ou mauvais de ma liberté. Si j'en fais un bon usage, je deviens donc meilleur à mon tour, et le bien que j'ai réalisé a une influence positive sur ceux qui m'entourent. À l'inverse, si j'en

fais un mauvais usage, il en résultera un enracine-
ment et une diffusion du mal en moi et dans le
monde qui m'entoure. La dangerosité de la situation dans laquelle on vit aujourd'hui réside dans le
fait que, avec l'usage de la liberté, on prétend faire
abstraction de la dimension éthique, c'est-à-dire de
la considération du bien et du mal moraux. Une
certaine conception de la liberté, qui trouve présen-
tement un large écho dans l'opinion publique,
détourne l'attention de l'homme de sa responsabilité éthique. Ce sur quoi on s'appuie aujourd'hui est
la liberté seule. On dit : ce qui importe, c'est d'être
libres, d'être délivrés de tout frein et de tout lien, de
manière à se mouvoir selon ses propres jugements
qui, en réalité, ne sont souvent que des caprices. Il
est clair qu'un libéralisme de ce genre ne peut être
qualifié que de primitif. Son influence est donc
potentiellement dévastatrice.

Mais il convient d'ajouter aussitôt que les traditions européennes, en particulier de la période des
Lumières, ont reconnu la nécessité d'un critère
régulateur de l'usage de la liberté. Ce critère a été
toutefois identifié non pas tant dans le bien juste
(*bonum honestum*) que dans l'utile ou dans le plaisir.
Nous rencontrons ici une composante très importante de la tradition de la pensée européenne, à
laquelle il convient de consacrer un peu plus
d'attention.

Dans l'agir humain, les diverses facultés spiri-
tuelles tendent à faire une synthèse. Dans cette synthèse, le rôle de guide est tenu par la volonté. Le
sujet imprime de ce fait à l'agir son caractère

rationnel. Les actes humains sont libres et, en tant que tels, ils en appellent à la responsabilité du sujet. L'homme veut quelque chose de bon et il le choisit : par conséquent, il est responsable de son propre choix.

Sur l'arrière-plan de cette perspective du bien, métaphysique et en même temps anthropologique, une distinction qui a un caractère proprement éthique s'impose. Il s'agit de la distinction entre le bien juste (*bonum honestum*), le bien utile (*bonum utile*) et le bien délectable (*bonum delectabile*). Ces trois sortes de bien qualifient l'agir de l'homme de manière organique. En agissant, l'homme choisit un certain bien, qui devient la fin de son action. Si le sujet choisit un *bonum honestum*, sa fin se conforme à l'essence même de l'objet de l'action, et il s'agit donc d'une fin honnête. À l'inverse, lorsque l'objet du choix est un *bonum utile*, la fin est alors l'avantage qui en découle pour le sujet. La question de la moralité de l'acte reste encore ouverte : c'est seulement quand l'acte dont découle l'avantage est honnête, et honnêtes les moyens utilisés, que la fin poursuivie par le sujet pourra aussi être dite honnête. C'est précisément avec cette question que commence la séparation entre la tradition de l'éthique aristotélicienne et thomiste, et d'autre part l'utilitarisme moderne.

L'utilitarisme a écarté la dimension primordiale et fondamentale du bien, à savoir le *bonum honestum*. L'anthropologie utilitariste et l'éthique qui en découle partent de la conviction que l'homme tend essentiellement à son intérêt propre ou à l'intérêt du groupe auquel il appartient. En définitive, l'avantage personnel ou corporatif est le but de l'agir humain. Quant au *bonum delectabile*, il est évidemment pris en considération dans la tradition aristotélicienne et thomiste, dont les grands penseurs, dans leur réflexion éthique, sont pleinement conscients du fait que l'accomplissement d'un bien juste s'accompagne toujours d'une joie intérieure, la joie du bien. Dans la pensée des utilitaristes, les dimensions du bien et de la joie ont au contraire été mises au second plan par la recherche de l'intérêt ou du plaisir. Le *bonum delectabile* de la pensée thomiste dans sa nouvelle expression s'est, il est vrai, un peu émancipé, devenant un bien et une fin en soi. Dans la perspective utilitariste, l'homme, dans ses actions, cherche avant tout le plaisir, et non pas l'*honestum*. Certes, des utilitaristes comme Jeremy Bentham ou John Stuart Mill soulignent qu'il ne s'agit pas seulement de plaisirs au niveau des sens : les plaisirs spirituels entrent également en ligne de compte. Il faut, disent-ils, considérer aussi ces derniers, faisant ce que l'on nomme le « calcul des plaisirs ». Dans leur mode de pensée, ce calcul constitue précisément l'expression « normative » de l'éthique utilitariste : le maximum de plaisir pour le plus grand nombre de personnes. C'est à cette perspective que l'on doit conformer l'agir de l'homme et la coopération entre les hommes.

Une réponse à l'éthique utilitariste a été donnée avec la philosophie d'Emmanuel Kant. Le philosophe de Königsberg a très justement relevé que mettre le plaisir au premier plan dans l'analyse de l'agir humain est dangereux et menace l'essence même de la morale. Dans sa vision aprioriste de la réalité, Kant met en question deux choses en même temps, à savoir le plaisir et la convenance. Toutefois il ne revient pas à la tradition du *bonum honestum*. Il fonde au contraire toute la morale humaine sur les formes aprioristes de l'intelligence pratique, qui ont un caractère impératif. Pour la morale, est essentiel l'*impératif catégorique*, qui, selon ce philosophe, s'exprime dans la formule suivante : « Agis uniquement d'après la maxime qui fait que tu peux vouloir en même temps qu'elle devienne une loi universelle. [12] »

Il y a aussi une seconde forme de l'impératif catégorique, dans laquelle c'est la personne qui est mise à la place qui lui revient dans l'ordre moral. En voici la formulation : « Agis de telle sorte que tu traites l'humanité aussi bien dans ta personne que dans la personne de tout autre toujours en même temps comme une fin, et jamais simplement comme un moyen. [13] » Dans cette forme, la fin et le moyen sont à nouveau présents dans la pensée éthique de Kant, et comme des catégories d'ordre non pas primordial mais secondaire. C'est la personne qui devient la catégorie d'ordre primordial. En un sens, Kant a jeté les bases du personnalisme éthique moderne. Du point de vue du développement de la réflexion éthique, nous avons là une étape très importante. Les néo-thomistes ont aussi repris le principe du personnalisme, s'appuyant sur la conception du *bonum honestum*, du *bonum utile*, du *bonum delectabile* chez saint Thomas.

À partir de cet exposé synthétique, on voit que la question du juste usage de la liberté se rattache de manière étroite à la réflexion sur le thème du bien et du mal. C'est une question passionnante non seulement du point de vue pratique, mais aussi théorique. Si l'éthique est la science philosophique qui traite du bien et du mal moraux, elle devra alors tirer de la liberté, propriété essentielle de la volonté humaine, son critère fondamental d'évaluation. L'homme peut faire le bien ou le mal parce que sa volonté est libre, mais aussi faillible. Lorsqu'il choisit, il le fait toujours à la lumière d'un critère et celui-ci peut être la bonté objective ou au contraire l'avantage dans un sens utilitariste. Par l'éthique de l'impératif catégorique, Kant a mis opportunément en évidence le caractère d'obligation des choix moraux de l'homme ; mais en même temps, il s'est détaché de ce qui constitue le caractère vraiment objectif de ces choix : il a souligné l'obligation subjective, mais il a mis de côté ce qui est le fondement de la morale, à savoir le *bonum honestum*. Quant au *bonum delectabile*, dans le sens où l'entendaient les utilitaristes anglo-saxons, Kant l'a essentiellement exclu du cadre de la morale.

Tout le raisonnement jusqu'ici développé à propos de la théorie du bien et du mal appartient à la philosophie morale. J'ai consacré à ces questions quelques années de travail à l'université catholique de Lublin. J'ai rassemblé mes réflexions à ce sujet dans le livre *Amour et responsabilité*, puis dans l'étude *Personne et acte*, et enfin, à une étape suivante, dans les catéchèses du mercredi, publiées sous le titre *Homme et femme il les créa* [14]. Sur la base de lectures ultérieures et aussi de recherches menées durant le séminaire d'éthique à Lublin, j'ai pu me convaincre que cette problématique se faisait sentir de manière importante chez divers penseurs contemporains : Max Scheler et les autres phénoménologues, Jean-Paul Sartre, Emmanuel Lévinas et Paul Ricœur, mais aussi Vladimir Soloviev, pour ne pas parler de Dostoïevski. À travers cette analyse de la réalité anthropologique, transparaît de différentes manières l'aspiration de l'humanité à la Rédemption et se confirme la nécessité du Rédempteur pour le salut de l'homme.

8

La liberté est pour l'amour

L'histoire récente fournit des exemples tragiquement éloquents du mauvais usage de la liberté. Il reste cependant à clarifier en quoi consiste la liberté et à quoi elle sert.

Nous touchons ici une question qui, si elle a été importante durant tout notre passé, le devient plus encore aujourd'hui, après les événements de 1989. Qu'est-ce que la liberté humaine ? Nous trouvons déjà la réponse chez Aristote. Pour Aristote, la liberté est une propriété de la volonté, qui se réalise grâce à la vérité. Elle est donnée à l'homme comme une tâche à porter à son terme. Il n'y a pas de liberté sans vérité. La liberté est une catégorie éthique. Aristote enseigne cela tout d'abord dans son *Éthique à Nicomaque*, construite sur la base de la vérité rationnelle. Dans l'ensemble, cette éthique naturelle a été adoptée par saint Thomas dans sa *Somme théologique*. Ainsi, l'*Éthique à Nicomaque* est restée une œuvre présente dans l'histoire de la morale, mais

54

désormais avec les caractéristiques d'une éthique chrétienne thomiste.

Saint Thomas embrassa intégralement le système aristotélicien des vertus. Le bien qui se présente devant la liberté humaine pour être accompli est précisément le bien des vertus. Il s'agit avant tout de ce que l'on nomme les quatre vertus cardinales : prudence, justice, force, tempérance. La prudence a une fonction de guide. La justice régule l'ordre social. La tempérance et la force disciplinent en revanche l'ordre intérieur de l'homme, c'est-à-dire qu'elles déterminent le bien en rapport avec l'irascibilité et la concupiscence humaines : *vis irascibilis – vis concupiscibilis*. Ainsi donc, au fondement de l'*Éthique à Nicomaque*, on trouve clairement une véritable anthropologie.

Dans le système des vertus cardinales, s'insèrent les autres vertus, qui se trouvent de diverses manières subordonnées à elles. On peut dire que ce système des vertus, dont dépend l'autoréalisation de la liberté humaine dans la vérité, est exhaustif. Il ne s'agit pas d'un système abstrait et aprioriste. Aristote part de l'expérience du sujet moral. Saint Thomas part lui aussi de l'expérience morale, mais il cherche également pour elle les éclairages contenus dans l'Écriture. Le plus grand éclairage est le commandement de l'amour de Dieu et du prochain. En lui, la liberté de l'homme trouve sa réalisation la plus complète. La liberté est pour l'amour : sa réalisation au moyen de l'amour peut parvenir aussi à un degré héroïque. Le Christ parle en effet de « donner sa vie » pour ses frères, pour les autres êtres humains.

Dans l'histoire du christianisme, il ne manque pas de personnes qui, de manières diverses, « ont donné leur vie » pour leur prochain, et elles l'ont fait pour suivre l'exemple du Christ. C'est ce qui est arrivé en particulier dans le cas des martyrs, dont le témoignage accompagne le christianisme depuis les temps apostoliques, et jusqu'à nos jours. Le XXᵉ siècle a été le grand siècle des martyrs chrétiens, que ce soit dans l'Église catholique ou dans les autres églises et communautés ecclésiales.

Revenant encore à Aristote, il faut ajouter que, outre l'*Éthique à Nicomaque*, il a laissé aussi une œuvre sur l'éthique sociale intitulée *Politique*. Dans cet ouvrage, Aristote n'affronte pas les questions concernant les stratégies concrètes de la vie politique, mais il se limite à définir les principes éthiques auxquels tout système politique juste devrait se tenir. À cette œuvre d'Aristote, *Politique*, se rattache de manière particulière la doctrine sociale catholique, qui a acquis une importance notable dans les temps modernes grâce aux impulsions de la question ouvrière. Après la grande encyclique de Léon XIII, *Rerum novarum*, en 1891, le XXᵉ siècle a enregistré divers documents du Magistère, qui sont particulièrement importants pour les nombreuses questions apparues peu à peu dans le domaine social. L'encyclique *Quadragesimo anno* de Pie XI, publiée à l'occasion du quarantième anniversaire de *Rerum novarum*, affronte directement la question ouvrière. Pour sa part, dans l'encyclique *Mater et magistra*, Jean XXIII traite en profondeur de la justice sociale, en référence à la vaste question des travailleurs agricoles ; dans l'encyclique *Pacem in terris*, il délimite ensuite les grandes règles pour une paix juste et pour un nouvel ordre international, reprenant et développant les principes déjà présents dans certaines interventions importantes de Pie XII. Dans la lettre apostolique *Octogesima adveniens*, Paul VI revient sur la question du travail industriel, tandis que, dans l'encyclique *Populorum progressio*, il s'arrête en particulier sur l'analyse des caractéristiques d'un progrès juste. Toute cette problématique a aussi été soumise à la réflexion des Pères du concile Vatican II et fut traitée spécialement dans la constitution *Gaudium et spes*. Partant de la question fondamentale de la vocation de la personne humaine, le document conciliaire en analyse l'une après l'autre les multiples dimensions. Il s'arrête en particulier sur le mariage et la famille, il s'interroge sur la culture, il affronte les questions complexes de la vie économique, politique, sociale, dans le cadre national et international. Je suis moi-même revenu sur ces dernières questions dans les deux encycliques *Sollicitudo rei socialis* et *Centesimus annus*. Mais j'avais auparavant consacré une encyclique au travail humain, *Laborem exercens* [15].

On peut dire qu'à la source de tous ces documents du Magistère se trouve le thème de la liberté de l'homme. La liberté est donnée à l'homme par le Créateur, comme un don et en même temps comme une tâche. Par la liberté, l'homme est en effet appelé à accueillir et à réaliser la vérité sur le bien. En choisissant et en mettant en œuvre le vrai bien dans sa vie personnelle et familiale, dans les réalités économiques et politiques, sur les plans national et international, l'homme réalise sa propre liberté dans la vérité. Cela lui permet d'éviter ou de dépasser les déviations possibles que l'on note dans l'histoire. Le machiavélisme de la Renaissance a certainement été une de ces déviations ; mais les formes variées d'utilitarisme social, de l'utilitarisme de classe (marxisme) à l'utilitarisme national (national-socialisme, fascisme), le sont aussi. Lorsqu'en Europe les deux systèmes fascistes et marxistes sont tombés, c'est la question du libéralisme qui s'est présentée aux sociétés, spécialement à celles de l'ex-bloc soviétique. Cette question a été beaucoup discutée à l'occasion de l'encyclique *Centesimus annus* et, sous d'autres aspects, dans l'encyclique *Veritatis splendor*. Dans les débats, revenaient les éternelles interrogations qui, déjà à la fin du XIXe siècle, avaient été abordées par Léon XIII, qui consacra plusieurs encycliques à la problématique de la liberté.

À partir de cette rapide analyse au moyen des lignes essentielles de l'histoire de la pensée sur ce thème, on voit combien la question de la liberté humaine est fondamentale. La liberté est elle-même dans la mesure où elle réalise la vérité sur le bien. C'est alors seulement qu'elle est un bien. Si la liberté cesse d'être reliée à la vérité et commence à la rendre dépendante d'elle, elle met en place les prémisses de conséquences morales dommageables, dont les dimensions sont parfois incalculables. Dans ce cas, l'abus de la liberté provoque une réaction qui prend la forme de tel ou tel système totalitaire. C'est là aussi une des formes de corruption de la liberté dont nous avons éprouvé les conséquences au XXe siècle, et pas seulement dans ce siècle-là.

9

L'enseignement de l'histoire récente

Vous-même, Très Saint-Père, avez été le témoin direct d'une longue et difficile période historique de la Pologne et des pays de l'ex-bloc de l'Est (1939-1989). Quel enseignement peut-on à votre avis tirer des expériences vécues dans le pays qui vous a donné le jour, et, en particulier, de ce dont l'Église en Pologne a fait l'expérience durant cette période ?

Les cinquante années de lutte contre le totalitarisme constituent une période qui n'est pas sans signification providentielle : en effet, le besoin social d'autodéfense contre l'asservissement de tout un peuple s'y est exprimé. Il s'agit d'une autodéfense qui ne s'exprime pas dans une perspective uniquement négative. La société n'a pas seulement refusé le nazisme comme système visant à la destruction de la Pologne, et le communisme comme système oppressif imposé par l'Est, mais dans sa résistance elle a vécu aussi des idéaux au contenu hautement positif. Je veux dire qu'il ne s'agissait pas d'un simple rejet de ces systèmes hostiles. Au cours de ces années, il y eut aussi le recouvrement et la confirmation des valeurs fondamentales dont le peuple vivait et auxquelles il désirait demeurer fidèle. Je me réfère aussi bien à la période relativement brève de l'occupation allemande qu'aux plus de quarante années de la domination communiste, durant la République populaire de Pologne.

Ce processus fut-il pleinement conscient ? Fut-il dans une certaine mesure un processus instinctif ? Il se peut qu'en de nombreux cas il manifestât un caractère plutôt instinctif. Par leur opposition, les Polonais exprimaient simplement le fait de ne pas pouvoir s'abstenir de s'opposer, plus qu'un choix reposant sur des motivations théoriques. Ce fut une question d'instinct ou d'intuition, quoique tout cela ait aussi stimulé une prise de conscience plus profonde des valeurs religieuses et civiles qui étaient à la base de ce refus, et que cela ce soit produit dans une mesure jusqu'alors ignorée dans l'histoire de la Pologne.

Je veux faire allusion ici à un dialogue que j'ai eu, durant mes études à Rome, avec l'un de mes compagnons de collège, un Flamand venu de Belgique. Ce jeune prêtre était lié à l'œuvre de l'abbé Joseph Cardijn, futur cardinal. Cette œuvre est connue sous le sigle JOC, qui désigne la Jeunesse ouvrière chrétienne. Le thème de notre conversation était la situation qui s'était créée en Europe à la fin de la Seconde Guerre mondiale. Mon collègue s'exprima plus ou moins ainsi : « Le Seigneur a permis que l'expérience d'un mal tel que le communisme vous arrive… Et pourquoi l'a-t-il permis ? » À la question il donna lui-même une réponse que j'estime significative : « Cela nous a été épargné à nous, en Occident, peut-être parce que nous n'aurions pas été capables de supporter une telle épreuve. Vous, par contre, vous y parviendrez. » Cette phrase du jeune Flamand est demeurée gravée dans ma mémoire. Dans une certaine mesure elle avait une valeur prophétique. Elle me revient souvent en mémoire et je vois toujours plus clairement que ces paroles étaient porteuses d'un diagnostic.

Naturellement, on ne peut trop simplifier le problème en amplifiant une vision dichotomique de l'Europe divisée entre Occident et Orient. Les pays de l'Europe occidentale ont une tradition chrétienne plus ancienne : c'est ici que la culture chrétienne a atteint ses sommets. Ce sont des peuples qui ont enrichi l'Église d'un grand nombre de saints. En Europe occidentale ont fleuri des œuvres d'art superbes : les majestueuses cathédrales romanes et gothiques, les basiliques de la Renaissance et du baroque, les peintures de Giotto, du bienheureux Fra Angelico, des innombrables artistes du XVe et du XVIe siècles, les sculptures de Michel-Ange, la coupole de Saint-Pierre et la chapelle Sixtine. Y sont nées les sommes théologiques, parmi lesquelles se détache celle de saint Thomas d'Aquin ; ici se sont formées les plus hautes traditions de la spiritualité chrétienne, les œuvres des mystiques – hommes et femmes – des pays germaniques, les écrits de sainte Catherine de Sienne en Italie, de sainte Thérèse d'Ávila et de saint Jean de la Croix en Espagne. Ici sont nés les grands ordres monastiques, à commencer par celui de saint

Benoît, qui peut certainement être appelé père et éducateur de l'Europe entière, les grands ordres mendiants, parmi lesquels les Franciscains et les Dominicains, jusqu'aux congrégations de la Réforme catholique et des siècles suivants, qui ont fait et font encore tant de bien dans l'Église. La grande épopée missionnaire a tiré ses ressources avant tout de l'Occident européen, et aujourd'hui y surgissent des mouvements apostoliques magnifiques et dynamiques, dont le témoignage ne peut pas ne pas porter de fruits même dans l'ordre temporel. En ce sens, nous pouvons dire que le Christ est toujours la « pierre angulaire » de la construction et de la reconstruction des sociétés dans l'Occident chrétien.

Mais en même temps on ne peut pas ignorer la réapparition persistante du refus du Christ. Sans cesse, se manifestent à nouveau les signes d'une civilisation différente de celle dont la « pierre angulaire » est le Christ – une civilisation qui, si elle n'est pas athée de manière programmée, est assurément positiviste et agnostique, puisque le principe dont elle s'inspire est de penser et d'agir comme si Dieu n'existait pas. On note facilement une telle disposition dans ce qu'on appelle la mentalité scientifique, ou plutôt scientiste, d'aujourd'hui, de même que dans la littérature, et spécialement dans les médias. Vivre comme si Dieu n'existait pas veut dire vivre en dehors des repères du bien et du mal, c'est-à-dire en dehors du cadre de valeurs dont Dieu lui-même est la source. On prétend au contraire qu'il appartient à l'homme de décider de ce qui est bon ou mauvais. Et une telle perspective est suggérée et diffusée de diverses façons et de différents côtés.

Si, d'un côté, l'Occident continue à donner un témoignage de l'action du ferment évangélique, d'un autre côté les courants de l'anti-évangélisation n'en sont pas moins forts. Cette dernière ébranle les bases mêmes de la morale humaine, impliquant la famille et propageant la permissivité morale : les divorces, l'amour libre, l'avortement, la contraception, la lutte contre la vie dans sa phase initiale comme dans son déclin, sa manipulation. Ce programme se développe avec d'énormes moyens financiers, non seulement dans chaque nation, mais aussi à l'échelle mondiale. Il peut en effet disposer de grands centres de pouvoir économique, par lesquels il tente d'imposer ses conditions aux pays en voie de développement. Face à tout cela, on peut légitimement se demander si ce n'est pas une autre forme de totalitarisme, sournoisement caché sous les apparences de la démocratie.

Il se peut donc que mon compagnon flamand ait pensé à tout cela quand il disait que peut-être nous, en Occident, « nous n'aurions pas été capables de supporter une telle épreuve ». Et il ajoutait : « Vous par contre vous y parviendrez. » Il est significatif qu'il me soit arrivé, quand j'étais déjà pape, de réentendre la même opinion de la bouche d'un éminent homme politique européen. Il me disait : « Si le communisme soviétique vient en Occident, nous ne serons pas en mesure de nous défendre… Aucune force ne serait capable de nous mobiliser pour une telle défense… » Nous savons qu'en définitive le communisme est tombé en raison de l'insuffisance socio-économique de son système. Mais cela ne veut pas dire qu'il ait été réellement rejeté comme idéologie ni comme philosophie. Dans certains milieux de l'Occident, son déclin est encore considéré comme une perte, et on regrette sa disparition.

Que pouvons-nous donc apprendre de ces années dominées par les « idéologies du mal » et de la lutte contre elles ? Je pense qu'avant tout nous devons apprendre à aller jusqu'aux racines. Alors seulement le mal causé par le fascisme ou par le communisme pourra en un sens nous enrichir, pourra nous conduire vers le bien, et tel est, sans aucun doute, le programme chrétien. « Ne te laisse pas vaincre par le mal, mais sois vainqueur du mal par le bien » (Romains 12, 21), écrit saint Paul. De ce point de vue, nous, en Pologne, nous pouvons obtenir des résultats d'importance. Cela arrivera si nous savons aller au-delà du superficiel, sans céder à la propagande des Lumières auquel les Polonais dans une certaine mesure ont déjà résisté au XVIIIe siècle, réussissant de cette façon à réaliser, au XIXe siècle, l'effort nécessaire pour retrouver ensuite leur indépendance, après les Première et Seconde Guerres mondiales. La trempe de la population s'est révélée ensuite dans la lutte contre le communisme, auquel la Pologne a su résister jusqu'à la victoire de 1989. Il s'agit maintenant de faire en sorte que ces sacrifices ne soient pas vains.

Au congrès des théologiens d'Europe centrale et orientale de Lublin, en 1991, on a tenté de tirer les conclusions de l'expérience faite par les Églises en ce temps de lutte contre le totalitarisme communiste et d'en rendre témoignage. La théologie qui s'est développée dans cette partie de l'Europe n'est pas la théologie dans le sens occidental. C'est quelque chose de plus que la théologie au sens strict. C'est un témoignage de vie, témoignage de ce que signifie se sentir entre les mains de Dieu, de ce que signifie « apprendre le Christ », lui qui se remit entre les mains du Père, jusqu'au « Père, entre tes mains je remets mon esprit », prononcé par lui sur la croix (Luc 23, 46). C'est ce que veut dire « apprendre le Christ » : pénétrer dans la profondeur du mystère de Dieu, qui de cette façon réalise la Rédemption du monde. J'ai rencontré les participants à ce congrès au cours de mon pèlerinage à Jasna Góra, à l'occasion des JMJ (Journées mondiales de la jeunesse), et par la suite j'ai pris connaissance du contenu de beaucoup de leurs interventions : ce sont des documents qui bouleversent parfois par leur simplicité et en même temps par leur profondeur.

En parlant de ces problèmes, nous nous heurtons toutefois à une sérieuse difficulté. Dans leurs aspects divers et complexes, ils empiètent souvent sur le domaine de l'inexprimable. Mais en tout cela, on entrevoit quand même l'action de Dieu, qui se manifeste par la médiation humaine : dans les bonnes actions des hommes, bien sûr, mais aussi dans leurs erreurs, desquelles Dieu se montre capable de tirer un bien plus grand. Tout le XXe siècle a été marqué par une intervention particulière de Dieu, qui est Père « riche en miséricorde » – *dives in misericordia...* (Éphésiens 2, 4).

10

Le mystère de la miséricorde

Très Saint Père, pourriez-vous vous arrêter un instant sur le mystère de l'amour et de la miséricorde ? En effet, il semble important d'aller plus à fond dans l'analyse de l'essence de ces deux attributs divins aussi significatifs pour nous ?

Le psaume *Miserere* est peut-être l'une des plus belles prières que l'Église a héritées de l'Ancien Testament. Les circonstances de son origine sont connues. Il est né comme le cri d'un pécheur, le roi David, qui s'était approprié la femme du soldat Urie, qui avait commis l'adultère avec elle et qui ensuite, pour effacer les traces de son délit, s'était donné du mal pour que l'époux légitime de la femme tombe sur le champ de bataille. Dans le deuxième livre de Samuel, le passage dans lequel le prophète Nathan pointe contre David son doigt accusateur, le désignant comme responsable d'un grand crime devant Dieu, est impressionnant : « Cet homme, c'est toi » (2 Samuel 12, 7). Le roi fait alors l'expérience d'une sorte d'illumination, d'où jaillit une profonde émotion qui trouve une issue dans les paroles du *Miserere*. C'est le psaume qui revient sans doute le plus souvent dans la liturgie :

> *Miserere mei, Deus,*
> *secundum misericordiam tuam ;*
> *et secundum multitudinem miserationum tuarum*
> *dele iniquitatem meam.*
> *Amplius lava me ab iniquitate mea,*
> *et a peccato meo munda me.*
> *Quoniam iniquitatem meam ego cognosco,*
> *et peccatum meum contra me est semper.*
> *Tibi, tibi soli peccavi*
> *et malum coram te feci,*
> *ut iustus inveniaris in sententia tua*
> *et aequus in iudicio tuo…*

On constate une beauté particulière dans ce lent écoulement des paroles latines et, en même temps, dans le déroulement des pensées, des sentiments et des mouvements du cœur. Il est évident que la langue originale du psaume *Miserere* n'était pas celle-ci, mais notre oreille est habituée à la version latine, peut-être plus encore qu'à la traduction en langue courante, bien que les paroles des traductions modernes, et particulièrement les mélodies, soient aussi, à leur manière, touchantes :

> *Pitié pour moi, mon Dieu, dans ton amour,*
> *selon ta grande miséricorde, efface mon péché.*
> *Lave-moi tout entier de ma faute,*
> *purifie-moi de mon offense.*
>
> *Oui, je connais mon péché, ma faute est toujours*
> *devant moi.*

Contre toi et toi seul j'ai péché,
ce qui est mal à tes yeux, je l'ai fait.

Ainsi tu peux parler et montrer ta justice,
être juge et montrer ta victoire.
Moi, je suis né dans la faute,
j'étais pécheur dès le sein de ma mère.

Mais tu veux au fond de moi la vérité ;
dans le secret tu m'apprends la sagesse.
Purifie-moi avec l'hysope, et je serai pur ;
lave-moi et je serai blanc, plus que la neige.

Fais que j'entende les chants et la fête ;
ils danseront les os que tu broyais.
Détourne ta face de mes fautes,
enlèves tous mes péchés.

Crée en moi un cœur pur, ô mon Dieu,
renouvelle et raffermis au fond de moi mon esprit.
Ne me chasse pas loin de ta face,
ne me reprends pas ton esprit saint.

Rends-moi la joie d'être sauvé ;
que l'esprit généreux me soutienne.
Aux pécheurs, j'enseignerai tes chemins ;
vers toi, reviendront les égarés.

Libère-moi du sang versé, Dieu, mon Dieu sauveur,
et ma langue acclamera ta justice.
Seigneur, ouvre mes lèvres,
et ma bouche annoncera ta louange… [16].

Ces paroles n'appellent pratiquement aucun commentaire. Elles parlent d'elles-mêmes. Par elles-mêmes elles révèlent la vérité sur la fragilité morale de l'homme. Il s'accuse devant Dieu parce qu'il sait que le péché est contraire à la sainteté de son Créateur. En même temps, l'homme-pécheur sait bien que Dieu est miséricorde et que cette miséricorde est infinie : Dieu est toujours prêt à pardonner et à rendre de nouveau juste l'homme pécheur.

D'où vient cette miséricorde infinie du Père ? David est un homme de l'Ancien Testament. Il connaît le Dieu unique. Pour nous, hommes de la Nouvelle Alliance, dans le *Miserere* de David, il est possible de reconnaître la présence du Christ, le Fils de Dieu, identifié au péché par le Père en notre faveur (cf. 2 Corinthiens 5, 21). Le Christ a pris sur lui les péchés de nous tous (cf. Isaïe 53, 12), pour satisfaire la justice lésée par la faute et, de cette façon, il a maintenu l'équilibre entre la justice et la miséricorde du Père. Il est significatif que sœur Faustine ait vu le Fils comme Dieu miséricordieux, le contemplant cependant non pas tant sur la croix que dans sa condition ultérieure de ressuscité dans la gloire. C'est pourquoi elle a relié sa mystique de la miséricorde au mystère de Pâques, où le Christ se présente victorieux du péché et de la mort (cf. Jean 20, 19-23).

Si j'évoque ici sœur Faustine et le culte du Christ miséricordieux promu par elle, je le fais aussi parce que cette sainte appartient à notre temps. Elle a vécu dans les premières décennies du XXe siècle et elle est morte avant la Seconde Guerre mondiale. C'est pendant cette période que lui fut révélé le mystère de la Divine Miséricorde, et elle rapporte dans son *Journal* ce dont elle a fait l'expérience. Aux survivants de la Seconde Guerre mondiale, les paroles notées dans le *Journal* de sainte Faustine apparaissent comme un évangile caractéristique de la

Divine Miséricorde, écrit selon la perspective du XXᵉ siècle. Ses contemporains ont compris ce message. Ils l'ont bien compris à travers l'accumulation dramatique du mal durant la Seconde Guerre mondiale et au travers de la cruauté des systèmes totalitaires. Ce fut comme si le Christ avait voulu révéler que la limite imposée au mal, dont l'homme est l'auteur et la victime, est en définitive la Divine Miséricorde. Certes, en elle il y a aussi la justice, mais celle-ci ne constitue pas à elle seule l'ultime parole de l'économie divine dans l'histoire du monde et dans l'histoire de l'homme. Dieu sait toujours tirer le bien du mal, Dieu veut que tous les hommes soient sauvés et puissent parvenir à la connaissance de la vérité (cf. 1 Timothée 2, 4) : Dieu est Amour (cf. 1 Jean 4, 8). Le Christ crucifié et ressuscité, tel qu'il est apparu à sœur Faustine, est la suprême révélation de cette vérité.

Ici je veux encore me reporter à ce que j'ai dit sur le thème des expériences de l'Église en Pologne au temps de la résistance contre le communisme. Il me semble qu'elles ont une valeur universelle. Je pense aussi que sœur Faustine et son témoignage à propos du mystère de la Divine Miséricorde s'insèrent en quelque sorte dans cette perspective. L'héritage de sa spiritualité eut – nous le savons par expérience – une grande importance pour la résistance contre le mal qui agissait dans les systèmes inhumains d'alors. Tout cela conserve une signification précise non seulement pour les Polonais, mais aussi pour le vaste ensemble de l'Église dans le monde. La béatification et la canonisation de sœur Faustine l'ont, entre autres, mis en évidence. Ce fut comme si le Christ, par son intermédiaire, avait voulu dire : « Le mal ne remporte pas la victoire définitive ! » Le mystère pascal confirme que le bien est en définitive vainqueur ; que la vie est victorieuse de la mort et que l'amour triomphe de la haine.

Troisième partie

Quand je pense « patrie »…

11

Sur le concept de patrie

Après l'irruption du mal et les deux grandes guerres du XXe siècle, le monde est en train de devenir toujours plus un ensemble de continents, d'États et de sociétés interdépendants, et l'Europe – ou au moins une part notable de cette dernière – tend à devenir une union non seulement économique, mais aussi politique. Plus encore, le cadre des questions dans lesquelles interfèrent les différents organismes de la Communauté européenne est beaucoup plus large que la simple économie et que la politique ordinaire. La chute des systèmes totalitaires dans les pays voisins a rendu possible, pour la Pologne, le retour à l'indépendance et l'ouverture vers l'Occident. Actuellement, nous nous trouvons face à la nécessité de définir le rapport de la Pologne avec l'Europe et avec le monde. Jusqu'à ces derniers temps, on discutait sur le thème des conséquences – des profits et des coûts – de l'entrée dans l'Union européenne. On discutait en particulier du risque que la nation perde sa culture et l'État sa souveraineté. L'entrée de la Pologne dans une communauté plus grande impose de réfléchir sur les conséquences que cela pourrait avoir sur une attitude intérieure hautement appréciée au long de l'his-

toire polonaise : le patriotisme. Soutenus par un tel sentiment, de nombreux Polonais se sont montrés disposés, au cours des siècles, à donner leur vie dans la lutte pour la liberté de leur patrie, et, de fait, beaucoup ont sacrifié leur vie. Selon vous, Très Saint-Père, que signifient les concepts de « patrie », « nation », « culture » ? Quel est le rapport entre ces concepts ?

L'expression « patrie » se rattache au concept et à la réalité de « père » (*pater*). En un sens, la patrie s'identifie au patrimoine, c'est-à-dire à l'ensemble des biens que nous avons reçus de nos pères en héritage. De manière significative, on utilise souvent, dans ce contexte, l'expression « mère-patrie ». Par expérience personnelle, nous savons tous dans quelle mesure la transmission du patrimoine spirituel se réalise par les mères. La patrie est donc l'héritage et, en même temps, la situation patrimoniale qui découle d'un tel héritage ; cela concerne aussi la terre, le territoire. Mais plus encore, le concept de patrie implique les valeurs et l'aspect spirituel qui composent la culture d'une nation déterminée. J'ai parlé précisément de cela à l'Unesco, le 2 juin 1980, soulignant que, même lorsqu'ils furent privés de leur territoire et que la nation fut démembrée, les Polonais ne perdirent pas le sens de leur patrimoine spirituel, ni de la culture reçue de leurs ancêtres. Ce sens se développa même de manière extraordinairement dynamique.

Dans une certaine mesure, on sait que le XIXe siècle a marqué le sommet de la culture polonaise. Dans aucune autre période de son histoire, la

Nation polonaise n'avait produit des écrivains de génie comme Adam Mickiewicz, Juliusz Słowacki, Zygmunt Krasiński, Cyprian Norwid. La musique polonaise n'avait jamais atteint auparavant un niveau aussi élevé que dans les œuvres de Frédéric Chopin, de Stanisław Moniuszko et d'autres compositeurs, grâce auxquels le patrimoine artistique du XIXe siècle s'est enrichi pour la postérité. On peut affirmer la même chose pour les arts plastiques, pour la peinture et pour la sculpture : le XIXe siècle est le siècle de Jan Matejko et d'Artur Grottger, et, à cheval sur le XXe siècle, apparaissent Stanisław Wyspiański, génie extraordinaire en différents domaines, puis Jacek Malczewski et d'autres encore. Que dire enfin du théâtre polonais ? Le XIXe siècle a été le siècle des pionniers dans le domaine du théâtre. Nous trouvons au départ le grand Wojciech Bogusławski, dont l'enseignement artistique a été accueilli et développé par de nombreux autres artistes, spécialement dans la partie méridionale de la Pologne, à Cracovie et à Lvóv – ville qui était alors en territoire polonais –, les théâtres ont connu leurs heures de gloire ; le théâtre bourgeois et le théâtre populaire se développèrent simultanément. On ne peut passer sous silence le fait que cette période extraordinaire de maturité culturelle, au cours du XIXe siècle, a préparé les Polonais au grand effort qui porta la nation à retrouver son indépendance. Effacée de la carte de l'Europe et du monde, la Pologne y réapparaît à partir de 1918 et continua dès lors à y être présente. Même la folle explosion de haine qui s'est déchaînée de l'Est et de l'Ouest entre

1939 et 1945 n'a pas réussi à en supprimer la présence.

À partir de là, on voit que, dans le concept même de patrie, se trouve un lien profond entre l'aspect spirituel et l'aspect matériel, entre la culture et le territoire. Le territoire retranché par la force à une nation devient, en un sens, une imploration et même un cri adressé à l'« esprit » de la nation elle-même. L'esprit de la nation se réveille, vit d'une vie nouvelle et lutte pour que les droits soient rendus à la terre. Norwid a exprimé tout cela avec une grande concision en parlant du travail : « La beauté est pour enchanter le travail, le travail est pour renaître [17]. »

Puisque nous sommes entrés dans l'analyse du concept même de patrie, il est opportun de nous référer maintenant à l'Évangile. Dans l'Évangile en effet, dans la bouche du Christ, apparaît précisément le terme « Père » comme parole fondamentale. De fait, c'est l'appellation qu'il utilise le plus fréquemment : « Tout m'a été confié par mon Père » (Matthieu 11, 27 ; cf. Luc 10, 22) ; « Le Père aime le Fils et lui montre tout ce qu'il fait. Il lui montrera des œuvres encore plus grandes » (Jean 5, 20 ; cf. aussi Jean 5, 21 *sqq.*). Les enseignements du Christ contiennent en eux-mêmes les plus profonds éléments d'une vision théologique de la patrie comme de la culture. En tant que Fils venu du Père chez nous, le Christ s'est présenté à l'humanité avec un patrimoine spécial, un héritage particulier. Saint Paul parle de cela dans la Lettre aux Galates : « Lorsque les temps furent accomplis, Dieu a envoyé son Fils ; il est né d'une femme [...] pour faire de nous des fils […]. Ainsi tu n'es plus esclave, mais fils, et comme fils, tu es héritier par la grâce de Dieu » (4, 4-7).

Le Christ dit : « Je suis sorti du Père, et je suis venu dans le monde » (Jean 16, 28). Cette venue s'est effectuée grâce à la Femme, la Mère. L'héritage du Père éternel s'est transmis, en un sens très vrai, par le cœur de Marie et il s'est ainsi enrichi de tout ce que l'extraordinaire génie féminin de la Mère pouvait apporter au patrimoine du Christ. Dans sa dimension universelle, le christianisme est le patrimoine dans lequel l'apport de la Mère est très significatif. Et c'est pour cela que l'Église est appelée mère : *mater Ecclesia*. En parlant ainsi, nous nous référons implicitement au patrimoine divin, dont nous avons été rendus participants grâce à la venue du Christ.

L'Évangile a donc conféré une nouvelle signification au concept de patrie. Dans son sens original, la patrie signifie ce dont nous avons hérité de nos pères et de nos mères sur la terre. L'héritage dont nous sommes redevables au Christ oriente vers la Patrie éternelle ce qui fait partie du patrimoine des patries humaines et des cultures humaines. Le Christ dit : « Je suis sorti du Père, et je suis venu dans le monde ; maintenant, je quitte le monde, et je pars vers le Père » (Jean 16, 28). Ce départ du Christ vers le Père inaugure une nouvelle Patrie dans l'histoire de toutes les patries et de tous les hommes. On dit parfois : la « Patrie céleste », la « Patrie éternelle ». Ce sont des expressions qui indiquent précisément ce qui est advenu dans l'histoire de l'homme et des nations à la suite de la venue du Christ dans le monde et de son départ de ce monde vers le Père.

Le départ du Christ a ouvert le concept de patrie à la dimension de l'eschatologie et de l'éternité, mais il n'a nullement supprimé son contenu temporel. Par expérience, en fonction de l'histoire polonaise, nous savons que la pensée de la Patrie éternelle a favorisé la promptitude à servir la patrie terrestre, disposant les citoyens à affronter toutes sortes de sacrifices en sa faveur – sacrifices en général héroïques. Au long de l'histoire, et spécialement au cours des derniers siècles, les saints élevés par l'Église aux honneurs des autels le montrent de manière éloquente.

La patrie en tant que patrimoine du père vient de Dieu, mais, en même temps, elle vient aussi, dans une certaine mesure, du monde. Le Christ est venu dans le monde pour confirmer les lois éternelles de Dieu, du Créateur. De manière concomitante cependant, il a donné naissance à une culture tout à fait nouvelle. Culture signifie cultiver. Par son enseignement, de même que par sa vie, sa mort et sa résurrection, le Christ a en un sens « cultivé de nouveau » le monde créé par le Père. Les hommes eux-mêmes sont devenus le « champ de Dieu », comme l'écrit saint Paul (cf. 1 Corinthiens 3, 9). De cette manière, le patrimoine divin a revêtu la forme de la « culture chrétienne ». Cette dernière existe non seulement dans les sociétés et dans les nations chrétiennes, mais en quelque sorte elle se rend aussi présente dans la culture de l'humanité entière. D'une certaine façon, elle en a transformé toute la culture.

Ce que j'ai dit jusqu'à présent sur le thème de la patrie explique un peu plus profondément la signification de ce que l'on appelle les racines chrétiennes de la culture polonaise et, plus généralement, celles de l'Europe. Lorsqu'on utilise une telle expression, on pense normalement aux racines historiques de la culture, et cela a une signification, car la culture a un caractère historique. L'examen de ces racines va donc de pair avec l'examen de notre histoire, y compris de notre histoire politique. L'effort des premiers Piast [18], visant au renforcement de l'esprit polonais par la constitution d'un État sur un territoire déterminé de l'Europe, était soutenu par une inspiration spirituelle précise. Le baptême de Mieszko Ier et de son peuple (966) grâce à l'intervention de la princesse de Bohême Dobrava, sa femme, en fut une manifestation. On sait combien cela a influé sur l'orientation de la culture d'une nation slave, située sur les rives de la Vistule. À l'inverse, la culture d'autres peuples slaves rejoints par le message chrétien à travers la Rus' [19], dont le baptême fut l'œuvre de missionnaires venus de Constantinople, eut une orientation toute différente. Une telle variété dans la famille des nations slaves dure encore aujourd'hui, marquant les confins spirituels des patries et des cultures.

12

Le patriotisme

De la réflexion sur le concept de patrie naît une autre question : à la lumière de cet approfondissement, comment doit être compris le patriotisme ?

Le raisonnement que j'ai développé précédemment sur le concept de patrie et sur le lien avec la paternité et la génération explique en profondeur la valeur morale du patriotisme. Si l'on se demande quelle place occupe le patriotisme dans le Décalogue, la réponse ne laisse aucune hésitation : il se situe dans le cadre du quatrième Commandement, qui nous engage à honorer notre père et notre mère. Il s'agit en effet de l'un des sentiments que la langue latine désigne sous le terme *pietas*, soulignant la valeur religieuse qui sous-tend le respect et la vénération dus à nos parents. Nous devons vénérer nos parents, parce qu'ils représentent pour nous Dieu Créateur. En nous donnant la vie, ils participent au mystère de la création et ils méritent pour cela une vénération qui renvoie à celle que nous attribuons à Dieu Créateur. Le patriotisme comporte en lui-même cette sorte d'attitude intérieure, du fait que la patrie est aussi pour chacun, d'une manière particulièrement vraie, une mère. Le patrimoine spirituel qui nous est transmis par notre patrie nous parvient par notre père et notre mère, et il fonde en nous le devoir correspondant de la *pietas*.

Patriotisme signifie amour pour tout ce qui fait partie de la patrie : son histoire, ses traditions, sa langue, sa conformation naturelle elle-même. C'est un amour qui s'étend aussi aux actions des citoyens et aux fruits de leur génie. Tout danger qui menace le grand bien de la patrie devient une occasion pour vérifier cet amour. Notre histoire nous enseigne que les Polonais ont toujours été capables de grands sacrifices pour préserver un tel bien, ou pour le reconquérir. En témoignent les nombreuses tombes des soldats qui ont combattu pour la Pologne sur les différents fronts du monde : elles sont disséminées aussi bien dans notre patrie qu'au-delà de ses frontières. Mais je crois que c'est l'expérience de tous les pays et de toutes les nations de l'Europe et du monde.

La patrie est le bien commun de tous les citoyens et, comme telle, elle est aussi un grand devoir. L'analyse de l'histoire ancienne et de l'histoire plus récente prouve largement le courage souvent héroïque avec lequel les Polonais ont su assumer ce devoir, quand il s'est agi de défendre le bien supérieur de la patrie. Cela n'exclut pas que, à certaines périodes, on ait pu constater un affaiblissement de cette disponibilité au sacrifice pour la promotion des valeurs et des idéaux liés à la notion de patrie.

Cela s'est produit dans les moments où l'intérêt privé et l'individualisme traditionnel polonais se sont manifestés comme facteurs de trouble.

La patrie est donc une grande réalité. On peut dire qu'elle est la réalité au service de laquelle se sont développées et se développent au long du temps les structures sociales, en commençant par les premières traditions tribales. On peut cependant se demander si ce développement de la vie sociale de l'humanité a atteint son objectif définitif. Le XXe siècle ne témoigne-t-il pas d'une incitation diffuse à avancer dans la direction de structures supra-nationales, ou même du cosmopolitisme ? Et cette incitation n'est-elle pas aussi la preuve que, pour survivre, les petites nations doivent se laisser absorber par des structures politiques plus grandes ? Ce sont des interrogations légitimes. Il semble toutefois que, comme la famille, la nation et la patrie demeurent des réalités irremplaçables. La doctrine sociale catholique parle en ce cas de sociétés « naturelles », pour indiquer le lien particulier, de la famille ou de la nation, avec la nature de l'homme, qui a une dimension sociale. Les voies fondamentales de la formation de toute société passent par la famille : sur ce point, il ne peut y avoir aucun doute. Mais il semble qu'une observation analogue s'applique aussi à la nation. L'identité culturelle et historique des sociétés est sauvegardée et entretenue par ce qui est inclus dans le concept de nation. Naturellement, un risque devra être absolument évité : que la fonction irremplaçable de la nation dégénère en nationalisme. À ce sujet, le XXe siècle nous a fourni des expériences extrêmement éloquentes, même à la lumière de leurs conséquences dramatiques. Comment peut-on se libérer d'un tel péril ? Je pense que la manière la plus appropriée est le patriotisme. La caractéristique du nationalisme est en effet de ne reconnaître et de ne rechercher que le bien de sa propre nation, sans tenir compte des droits des autres. À l'inverse, le patriotisme, en tant qu'amour pour sa patrie, reconnaît à toutes les autres nations des droits égaux à ceux qui sont revendiqués pour sa patrie et il constitue donc la voie vers un amour social ordonné.

13

Le concept de nation

Le patriotisme comme sens de l'attachement à la nation et à la patrie doit éviter de se transformer en nationalisme. Sa juste interprétation dépend de ce que nous voulons exprimer par le concept de nation. Comment faut-il donc entendre la nation, cette entité idéale à laquelle l'homme fait référence dans son sentiment patriotique ?

Si on examine attentivement les deux termes, il existe un lien étroit entre la signification de patrie et celle de nation. En polonais, en effet – mais pas seulement dans cette langue –, le terme *na-ród* (nation) dérive de *ród* (génération) ; patrie (*ojczy-zna*), par contre, a sa racine dans le mot père (*ojciec*). Le père est celui qui, avec la mère, donne la vie à un nouvel être humain. À cette génération du père et de la mère se rattache le concept de patrimoine, qui est sur l'arrière-plan du terme « patrie ». Le patrimoine et avec lui la patrie sont donc, du point de vue conceptuel, étroitement unis à l'acte de génération : mais le terme « nation » a aussi, du point de vue étymologique, un rapport avec le fait de naître.

Par le terme de nation on entend désigner une communauté qui réside dans un territoire déterminé et qui se distingue des autres nations par une culture propre. La doctrine sociale catholique considère que tant la famille que la nation sont des sociétés naturelles et ne sont donc pas le fruit d'une simple convention. C'est pourquoi, dans l'histoire de l'humanité, elles ne peuvent être remplacées par rien d'autre. Par exemple, on ne peut remplacer la nation par l'État, bien que la nation, de par sa nature, tende à se constituer en État, comme le montre l'histoire de chaque nation européenne et l'histoire polonaise elle-même. Dans son œuvre *Wyzwolenie* (*La Libération*), Stanisław Wyspiański a écrit : « La nation doit exister comme État... [20]. » On ne peut encore moins identifier la nation avec ce qu'on appelle la société démocratique, parce qu'il s'agit là de deux ordres distincts, bien que reliés entre eux. Une société démocratique est plus proche de l'État que la nation. Toutefois la nation est le terrain sur lequel naît l'État. La question du système démocratique est, en un sens, un problème ultérieur, appartenant au domaine de la politique intérieure.

Ces observations introductives sur le thème de la nation étant faites, il est aussi très opportun dans ce cas de revenir à la Sainte Écriture : des éléments d'une authentique théologie de la nation y sont présents. Cela vaut avant tout pour Israël. L'Ancien Testament montre la généalogie de cette nation, élue par le Seigneur comme son peuple. Le terme de généalogie se réfère en général aux ascendants dans un sens biologique. Mais on peut aussi parler de généalogie – et peut-être de façon encore plus valable – dans un sens spirituel. Notre pensée se tourne ici vers Abraham. À lui se réfèrent non seulement les Israélites, mais – naturellement dans un sens spirituel – les chrétiens (cf. Romains 4, 11-12) et les musulmans eux-mêmes. L'histoire d'Abraham et de son appel par Dieu, de son insolite paternité, de la naissance d'Isaac, tout cela montre de quelle façon le chemin vers la nation passe, grâce à la génération, par la famille et la descendance.

Au commencement, il s'agit donc de l'événement d'une génération. L'épouse d'Abraham, Sara, désormais avancée en âge, donne naissance à un fils. Abraham a un fils selon la chair et peu à peu, à partir de cette famille d'Abraham, se forme sa descendance. Le livre de la Genèse expose les étapes successives du développement de la descendance : d'Abraham, par Isaac, jusqu'à Jacob. Le patriarche Jacob a douze fils et ces douze fils donnent naissance, à leur tour, aux douze tribus qui constitueront la nation d'Israël.

Dieu a choisi cette nation, confirmant cette élection par ses interventions dans l'histoire, à commencer par la libération d'Égypte, sous la conduite de Moïse. Déjà depuis les temps du grand législateur, il est possible de parler d'une nation israélite, même si au commencement elle n'était constituée que de familles et de lignées. Toutefois, l'histoire d'Israël ne se réduit pas seulement à cela. Elle a aussi une dimension spirituelle. Dieu a choisi cette nation pour se manifester, en elle et par elle, au monde.

Cette révélation a son point de départ en Abraham, mais elle atteint son sommet dans la mission de Moïse. À Moïse, Dieu parle face à face, guidant la vie spirituelle d'Israël par son intermédiaire. C'est la foi en un seul Dieu, Créateur du ciel et de la terre, qui décida de la vie spirituelle d'Israël, et, avec la foi, le Décalogue, c'est-à-dire la loi morale écrite sur des tables de pierre que Moïse reçut sur le mont Sinaï.

La mission d'Israël doit être définie comme « messianique », justement parce que de cette nation devait sortir le Messie, l'Oint du Seigneur. « Lorsque les temps furent accomplis, Dieu a envoyé son Fils » (Galates 4, 4), qui s'est fait homme par l'action du Saint-Esprit dans le sein d'une fille d'Israël, Marie de Nazareth. Le mystère de l'Incarnation, fondement de l'Église, appartient à la théologie de la nation. En s'incarnant, c'est-à-dire en devenant homme, le Fils consubstantiel, le Verbe éternel du Père, a ouvert la voie à un « engendrement » d'un autre ordre. C'était la génération « par l'Esprit Saint ». Son fruit est notre filiation surnaturelle, notre filiation adoptive. Il ne s'agit pas ici, pour utiliser les paroles de l'évangéliste Jean, d'une naissance « selon la chair ». Il s'agit d'être engendrés « ni du sang, ni d'une volonté charnelle, ni d'une volonté d'homme, mais de Dieu » (cf. Jean 1, 13). Ceux qui naissent ainsi « de Dieu » deviennent membres de la « nation divine », selon une formule fort juste, chère au père Ignacy Różycki. Comme on le sait, avec le concile Vatican II s'est répandue l'expression « Peuple de Dieu ». Si dans la constitution *Lumen gentium* le concile parle du Peuple de Dieu, il entend sans aucun doute se référer à ceux

qui « sont nés de Dieu » par la grâce du Rédempteur, le Fils de Dieu incarné, qui est mort et ressuscité pour le salut de l'humanité.

Israël est l'unique nation dont l'histoire est en
grande partie racontée dans la Sainte Écriture. C'est
une histoire qui appartient à la Révélation divine :
en elle Dieu se révèle à l'humanité. À la « plénitude
des temps », après avoir parlé aux hommes sous des
formes variées, Lui-même s'est fait homme. Le mystère de l'Incarnation appartient aussi à l'histoire
d'Israël, bien qu'en même temps il nous introduise
désormais dans l'histoire du nouvel Israël, c'est-à-
dire du Peuple de la Nouvelle Alliance. « Tous les
hommes sont appelés à s'agréger au nouveau Peuple
de Dieu. [...] Ainsi l'unique Peuple de Dieu est présent dans toutes les nations de la terre, puisqu'il
emprunte à toutes les nations ses citoyens, citoyens
d'un Royaume dont le caractère n'est cependant pas
terrestre, mais céleste [21]. » En d'autres termes, cela
signifie que l'histoire de toutes les nations est
appelée à entrer dans l'histoire du salut. En effet, le
Christ est venu dans le monde pour apporter le salut
à tous les hommes. L'Église, Peuple de Dieu fondé
sur la Nouvelle Alliance, est le nouvel Israël et elle se
présente avec un caractère d'universalité : toute
nation a en elle un égal droit de cité.

14

L'histoire

« L'histoire de toutes les nations est appelée à entrer dans l'histoire du salut » : dans cette affirmation nous découvrons une nouvelle dimension des concepts de « nation » et de « patrie » : la dimension historique et salvifique. Comment caractériseriez-vous plus précisément, Très Saint-Père, cette dimension de la nation, qui est sans aucun doute essentielle ?

Dans un sens large, on peut dire que tout le cosmos créé est soumis au temps, et qu'il a donc une histoire. De manière particulière, les êtres vivants ont leur histoire. Néanmoins, à aucun d'entre eux, à aucune espèce animale, nous ne pouvons attribuer la dimension historique dans le sens où nous l'attribuons à l'homme, aux nations, à la famille humaine tout entière. L'historicité de l'homme s'exprime dans la capacité qui lui est propre d'objectiver l'histoire. L'homme n'est pas simplement soumis au cours des événements, il ne se limite pas à agir et à se comporter d'une certaine manière comme sujet et comme membre d'un groupe, mais il a aussi la capacité de réfléchir sur sa propre histoire et de l'objectiver, la racontant dans son déroulement et dans son enchaînement. Les familles humaines ont cette capacité, de même que les sociétés humaines et en particulier les nations.

Les nations, de manière analogue aux individus, sont dotées d'une mémoire historique. Il est donc compréhensible qu'elles cherchent à fixer par écrit ce dont elles se souviennent. Ainsi, l'histoire devient historiographie. Les personnes écrivent l'histoire du groupe humain auquel elles appartiennent. Parfois, elles écrivent aussi leur histoire personnelle, mais ce qu'elles écrivent de leur nation est en général plus important. Et l'histoire des nations, objectivée et fixée par écrit, est un des éléments essentiels de la culture – l'élément qui décide de l'identité d'une nation dans les dimensions du temps. « L'histoire peut-elle aller à contre-courant des consciences ? » Je me posais cette question il y a de nombreuses années dans une poésie intitulée *Quand je pense patrie*. La question provient de ma réflexion sur les concepts de nation et de patriotisme. Dans cette poésie, j'ai cherché à formuler une réponse. Il vaut peut-être la peine d'en rappeler ici quelques passages :

> *La liberté, est-elle une conquête perpétuelle, ne peut-on simplement la posséder ?*
> *Elle nous vient comme un don, mais elle se maintient par la lutte.*
> *Don et lutte s'inscrivent dans nos feuillets secrets, et pourtant manifestes.*
> *La liberté, tu la paies de toute ta personne. C'est pourquoi tu appelleras liberté*

celle qui, alors que tu la paies, te permet
d'être toujours de nouveau en possession de toi-même.
À ce prix, nous entrons dans l'histoire, nous pouvons
aborder ses siècles.
Entre les générations, quelle est la ligne qui partage
ceux qui n'ont pas payé le prix et ceux qui ont trop payé ?
Et nous-mêmes, de quel côté sommes-nous ?
[…]
L'histoire étend sur la lutte des consciences une couche
d'événements.
Dans cette couche, vibrent victoires et défaites.
L'histoire ne les recouvre pas, elle les fait même ressortir.
[…]
Faible est le peuple quand il accepte sa défaite,
quand il oublie qu'il reçut la mission de veiller
jusqu'à ce que vienne son heure.
Car, sur l'immense cadran de l'histoire, les heures vien-
nent toujours.
Voici la liturgie de l'histoire.
La veille est parole du Seigneur et aussi parole du Peuple,
que nous accueillons toujours à nouveau.
Les heures deviennent psaume de conversions incessantes :
nous allons prendre part à l'Eucharistie des mondes.

Et je concluais :

Ô terre qui ne cesse
d'être une parcelle de notre temps.
Ayant appris la nouvelle espérance,
nous allons traversant ce temps en quête d'une terre
nouvelle.
Et toi, nous t'élèverons, terre antique,
comme fruit de l'amour des générations,
amour qui a vaincu la haine.

L'histoire de chaque homme et, par son intermédiaire, l'histoire de tous les peuples portent en elles

une note eschatologique particulière. Le concile Vatican II s'est beaucoup exprimé sur ce thème dans tout son enseignement, en particulier dans les constitutions *Lumen gentium* et *Gaudium et spes*. Il s'agit d'une lecture de l'histoire, à la lumière de l'Évangile, qui revêt une importance indubitable. La référence eschatologique dit en effet que la vie humaine a un sens et que l'histoire des nations a aussi un sens. Ce sont assurément les hommes et non les nations qui doivent affronter le jugement de Dieu, mais, dans le jugement prononcé sur les personnes, en quelque sorte, les nations sont aussi jugées.

Existe-t-il une eschatologie de la nation ? La nation a un sens exclusivement historique. À l'inverse, la vocation de l'homme est eschatologique. Cependant, cette dernière se reflète dans l'histoire des nations elle-même. Je voulais également exprimer cela dans la poésie reprise ci-dessus, qui est peut-être aussi un écho de l'enseignement du concile Vatican II.

Les peuples fixent leur histoire dans des récits qui consistent en de multiples formes de documents, grâce auxquels se construit la culture nationale. La langue est l'instrument principal de ce développement progressif. Grâce à elle, l'homme exprime la vérité sur le monde et sur lui-même, et il fait partager aux autres le fruit de sa recherche dans les différents domaines du savoir. Ainsi se réalise une communication entre les personnes, qui sert à une plus profonde connaissance de la vérité et, grâce à cela, à l'approfondissement et à la consolidation des identités respectives.

À la lumière de ces considérations, il est possible de mettre au jour de manière plus précise le concept de patrie. Dans mon discours à l'Unesco, je fais appel à l'expérience de ma patrie, et cela a été particulièrement bien compris par les représentants des sociétés qui vivent l'étape de formation de leurs patries et de leurs identités nationales respectives. Nous, les Polonais, nous avons traversé cette étape entre le Xᵉ et le XIᵉ siècles. Les célébrations à l'occasion du millénaire du Baptême de la Pologne nous l'ont rappelé. En effet, en parlant de baptême, on ne se réfère pas seulement au sacrement de l'initiation chrétienne reçu par le premier souverain historique de la Pologne, mais aussi à l'événement qui fut décisif pour la naissance de la nation et pour la formation de son identité chrétienne. En ce sens, la date du Baptême de la Pologne marque un tournant. En tant que nation, la Pologne sort alors de sa préhistoire et commence à exister dans l'histoire. La préhistoire enregistre la présence de différentes tribus slaves.

Du point de vue ethnique, pour la fondation de la nation, l'événement le plus important est sans doute l'union de deux grandes tribus, les Polanes du Nord et les Vislanes du Sud. Mais ce ne furent pas les seules tribus. Firent aussi partie de la nation polonaise les Silésiens, les Poméraniens et les Mazoviens. À partir du Baptême, les diverses tribus commencent à exister comme nation polonaise.

15

Nation et culture

Le discours que Votre Sainteté a entrepris sur l'identité culturelle et historique de la nation affronte un thème complexe. Certaines questions surgissent alors spontanément : comment doit être entendue la culture ? Quels en sont le sens et la genèse ? Comment définir de plus près le rôle de la culture dans la vie d'une nation ?

Les origines de l'histoire – le croyant le sait – sont à rechercher dans le livre de la Genèse. Pour les origines de la culture, on doit aussi remonter à ces pages. Tout est contenu dans ces simples paroles : « Le Seigneur Dieu modela l'homme avec la poussière tirée du sol ; il insuffla dans ses narines le souffle de vie, et l'homme devint un être vivant » (Genèse 2, 7). Cette décision du Créateur revêt une dimension particulière. Tandis que pour la création des autres êtres le Créateur dit simplement : « Que ce soit fait », dans ce cas unique, il entre presque en lui-même pour une sorte de consultation trinitaire, puis il décide : « Faisons l'homme à notre image, selon notre ressemblance » (Genèse 1, 26). L'auteur biblique poursuit ainsi : « Dieu créa l'homme à son image, à l'image de Dieu il le créa. Il les créa homme et femme. Dieu les bénit et leur dit : Soyez féconds et multipliez-vous, remplissez la terre et soumettez-la » (Genèse 1, 27-28). Le sixième jour de la création, nous lisons encore : « Dieu vit tout ce qu'il avait fait : c'était très bon » (Genèse 1, 31). Nous trouvons ces paroles dans le premier chapitre du livre de la Genèse, communément attribué à ce qu'on appelle la « tradition sacerdotale ».

Dans le deuxième chapitre, fruit de l'œuvre du rédacteur yahviste, la question de la création de l'homme est traitée de manière plus large, plus descriptive et plus psychologique. Tout commence par le constat de la solitude de l'homme, appelé à l'existence au milieu du cosmos visible. L'homme donne des noms adaptés aux êtres qui l'entourent. Et après avoir passé en revue tous les êtres vivants, il constate qu'aucun d'entre eux ne lui est semblable. C'est pourquoi il se sent seul au monde. Dieu pourvoit à ce sentiment de solitude en décidant de créer la femme. Selon le texte biblique, le Créateur fait descendre sur l'homme une profonde torpeur, durant laquelle il forme Ève à partir de son côté. Éveillé de son sommeil, l'homme regarde avec émerveillement la nouvelle créature semblable à lui et il manifeste son enthousiasme : « Cette fois-ci, voilà l'os de mes os et la chair de ma chair » (Genèse 2, 23). Ainsi, aux côtés de l'être humain-homme, est posé dans le monde l'être humain-femme. Suivent ensuite les fameuses paroles qui ouvrent la perspective d'une vie-à-deux, particulièrement engageante : « À cause de cela, l'homme quittera son père et sa mère, il s'attachera à sa femme, et tous deux ne feront plus qu'un » (Genèse 2, 24). Cette union dans la chair introduit à l'expérience mystérieuse d'être parents.

Le livre de la Genèse poursuit en racontant que les deux êtres humains, créés par Dieu homme et femme, étaient tous deux nus et n'en éprouvaient aucune honte. Cette condition dura jusqu'au moment où ils se laissèrent séduire par le serpent, symbole de l'esprit du malin. C'est précisément lui, le serpent, qui les persuada de cueillir le fruit de l'arbre de la connaissance du bien et du mal, et qui les encouragea à transgresser l'interdit explicite de Dieu. Il le fit avec des paroles pleines d'insinuation : « Pas du tout ! Vous ne mourrez pas ! Mais Dieu sait que, le jour où vous en mangerez, vos yeux s'ouvriront, et vous serez comme des dieux, connaissant le bien et le mal » (Genèse 3, 4-5). Lorsque tous deux, l'homme et la femme, agirent selon la suggestion de l'esprit du malin, ils connurent qu'ils étaient nus et naquit en eux la honte de leur propre corps. Ils avaient perdu l'innocence originelle. Le troisième chapitre du livre de la Genèse énonce de manière très éloquente les conséquences du péché originel, pour l'homme et pour la femme, aussi bien que pour leur rapport mutuel. Cependant, Dieu annonce par anticipation une future Femme, dont la descendance écrasera la tête du serpent ; il annonce ainsi la venue du Rédempteur et son œuvre de salut (cf. Genèse 3, 15).

Nous gardons devant les yeux cette ébauche de l'état originel de l'homme, parce que nous retournerons de nouveau par la suite au premier chapitre de la Genèse, où l'on dit que Dieu créa l'homme à son image et à sa ressemblance, disant : « Soyez féconds et multipliez-vous, remplissez la terre et soumettez-la. Soyez les maîtres des poissons de la mer » (Genèse 1, 28). Ces paroles constituent la toute première et la plus complète définition de la culture humaine. Remplir et dominer la terre veut dire découvrir et confirmer la vérité sur le fait d'être homme, sur l'humanité qui est, dans une égale mesure, partie de l'homme et de la femme. À l'homme, à son humanité, Dieu a confié le monde visible comme don et en même temps comme tâche. C'est-à-dire qu'il lui a assigné une mission précise : réaliser la vérité sur lui-même et sur le monde. L'homme doit se laisser guider par la vérité sur lui-même, pour pouvoir modeler selon la vérité le monde visible, s'en servant correctement pour ses fins, sans en abuser. En d'autres termes, la double vérité sur le monde et sur lui-même est le fondement de toute intervention de l'homme sur le créé.

Comme le souligne le livre de la Genèse, cette mission de l'homme par rapport au monde visible a connu au long de l'histoire une évolution qui, dans les temps modernes, s'est accélérée de manière extraordinaire. Tout a commencé avec l'invention des machines : dès lors, l'homme transforme non seulement les matières premières qui lui sont fournies par la nature, mais aussi les produits de son travail. En ce sens, le travail humain a pris la forme de la production industrielle, dont la norme essentielle reste cependant toujours la même : l'homme doit demeurer fidèle à la vérité de lui-même et de l'objet de son travail, aussi bien dans le cas des matières premières naturelles que dans celui des produits artificiels.

Avec les premières pages du livre de la Genèse, nous nous situons au cœur même de ce qui se nomme culture, en en recueillant la signification originelle et fondamentale, à partir de laquelle il est possible de parvenir, par étapes successives, jusqu'à ce qui constitue la vérité de notre civilisation industrielle. Que ce soit dans la phase originelle ou aujourd'hui, on voit que la civilisation est et demeure liée au développement de la connaissance de la vérité sur le monde, à savoir le développement de la science. C'est là sa dimension cognitive. Il serait nécessaire de s'arrêter pour analyser en profondeur les trois premiers chapitres du livre de la Genèse, qui constituent la source originelle à laquelle il faut puiser. En effet, pour la culture humaine, ce qui est essentiel, c'est non seulement la connaissance que possède l'homme sur le monde extérieur, mais aussi celle qu'il a de lui-même. Une telle connaissance de sa propre vérité porte aussi sur la double caractéristique de l'être humain : « Homme et femme il les créa » (Genèse 1, 27). Le premier chapitre du livre de la Genèse complète cette image, en rappelant le commandement de Dieu concernant la génération humaine : « Soyez féconds et multipliez-vous, remplissez la terre et soumettez-la » (Genèse 1, 28). Les deuxième et troisième chapitres offrent des éléments ultérieurs qui aident à mieux comprendre le dessein de Dieu : ce qui est dit sur la solitude de l'homme, sur la création d'un être semblable à lui, sur l'émerveillement originel de l'homme devant la femme tirée de sa chair, sur la vocation au mariage, et enfin sur l'histoire de l'innocence des origines, malheureusement perdue par le péché originel – tout cela donne le cadre désormais complet de ce qui, pour la culture, est l'amour né de la connaissance. Un tel amour est source d'une vie nouvelle. Et, encore antérieurement, il est source d'émerveillement créatif qui demande à se traduire en œuvre d'art.

Depuis les origines, dans la culture de l'homme, est inscrit très profondément l'élément de la beauté. La beauté du cosmos est comme reflétée dans les yeux de Dieu, dont il est dit : « Dieu vit tout ce qu'il avait fait : c'était très bon » (Genèse 1, 31). « Très bonne », c'est ainsi qu'est qualifiée en particulier l'apparition du premier couple, créé à l'image et à la ressemblance de Dieu, dans toute l'innocence originelle et dans la nudité qui étaient ses caractéristiques avant le péché originel. Tout cela est à la base même de la culture qui s'exprime dans les œuvres d'art, qu'il s'agisse de peintures, de sculptures, d'architecture, d'œuvres musicales ou de compositions de l'imagination créatrice et de la pensée.

Chaque nation vit des œuvres de sa propre culture. Par exemple, nous, Polonais, nous vivons de tout ce dont nous reconnaissons l'origine, par exemple dans le chant *Bogurodzica* (*Mère de Dieu*), la plus antique poésie polonaise écrite, antique aussi par la mélodie qui l'accompagne et qui remonte à plusieurs siècles. Lorsque j'étais à Gniezno en 1979, durant mon premier pèlerinage en Pologne, j'ai parlé de cela aux jeunes réunis sur la colline de Lech. Dans la culture polonaise précisément, le chant *Bogurodzica* appartient de manière particulière à la tradition de Gniezno. C'est la tradition de son saint patron, Adalbert, auquel de fait on en attribue la composition. Il s'agit d'une tradition qui a plusieurs siècles d'histoire. Le chant *Bogurodzica* devint l'hymne national qui guida encore près de Grunwald les troupes polonaises et lituaniennes dans la bataille contre l'ordre Teutonique [22]. Simultanément, existait déjà, en provenance de Cracovie, une autre tradition liée au culte de saint Stanislas. Elle trouve son expression dans l'hymne latine *Gaude, Mater Polonia*, chantée encore aujourd'hui en latin, de même que *Bogurodzica* est chanté dans l'ancienne langue polonaise. Ces deux traditions s'entremêlent. On sait que durant longtemps le latin a été, à côté du polonais, la langue de la culture polonaise. Les poésies étaient écrites en latin, comme par exemple celles de Janicius, ou les traités politiques et moraux, entre autres ceux d'Andrzej Frycz Modrzewski ou de Orzechowski, et même l'œuvre de Nicolas Copernic, *De revolutionibus orbium cælestium*. Parallèlement, se développa la littérature polonaise, à partir de Mikołaj Rej jusqu'à Jan Kochanowski, grâce auquel elle atteignit un niveau européen de tout premier plan. Le *Psautier de David* (*Psałterz Dawidów*) de Kochanowski est encore chanté aujourd'hui. Ses *Lamentations* (*Treny*) sur la mort de sa fille constituent un sommet de l'art lyrique. *Le Renvoi des ambassadeurs* grecs (*Odprawa posłow greckich*) est aussi un magnifique drame qui emprunte aux modèles antiques.

Ce que je dis là me ramène au discours que j'ai prononcé à l'Unesco sur le rôle de la culture dans la vie des nations. La force de cette intervention résidait dans le fait qu'elle n'était pas une théorie sur la culture, mais un témoignage rendu à la culture – le simple témoignage rendu par un homme qui, s'appuyant sur sa propre expérience, exprimait ce que la culture a été dans l'histoire de sa nation et ce qu'elle représente dans l'histoire de toute nation. Quel est, par exemple, le rôle de la culture dans la vie des jeunes nations du continent africain ? Il est nécessaire de se demander comment cette richesse commune du genre humain, la richesse de toutes les cultures, peut s'accroître avec le temps, et comment on doit respecter le juste rapport entre l'économie et la culture, pour ne pas détruire un tel bien – qui est plus grand, qui est plus humain – au profit de la civilisation de l'argent, au profit du pouvoir excessif d'un économisme unilatéral. Dans ce cas en effet, qu'une telle prédominance s'impose sous la forme d'un marxisme totalitaire ou sous la forme d'un libéralisme occidental, cela n'a plus grande importance. Dans ce discours, je disais entre autres :

> L'homme vit d'une vie vraiment humaine grâce à la culture. [...] La culture est un mode spécifique de l'« exister » et de l'« être » de l'homme. [...] La culture est ce par quoi l'homme en tant qu'homme devient davantage homme, « est » davantage. [...] La Nation est en effet la grande

communauté des hommes qui sont unis par des liens divers, mais surtout, précisément par la culture. La Nation existe « par » la culture et « pour » la culture, et elle est donc la grande éducatrice des hommes pour qu'ils puissent « être davantage » dans la communauté. Elle est cette communauté qui possède une histoire dépassant l'histoire de l'individu et de la famille. [...] Je suis fils d'une Nation qui a vécu les plus grandes expériences de l'histoire, que ses voisins ont condamnée à mort à plusieurs reprises, mais qui a survécu et qui est restée elle-même. Elle a conservé son identité, et elle a conservé, malgré les partitions et les occupations étrangères, sa souveraineté nationale, non en s'appuyant sur les ressources de la force physique, mais uniquement en s'appuyant sur sa culture. Cette culture s'est révélée en l'occurrence d'une puissance plus grande que toutes les autres forces. Ce que je dis ici concernant le droit de la nation au fondement de sa culture et de son avenir n'est donc l'écho d'aucun « nationalisme », mais il s'agit toujours d'un élément stable de l'expérience humaine et des perspectives humanistes du développement de l'homme. Il existe une souveraineté fondamentale de la société qui se manifeste dans la culture de la nation. Il s'agit de la souveraineté par laquelle, en même temps, l'homme est suprêmement souverain [23].

Ce que j'ai dit en cette occasion sur le rôle de la culture dans la vie de la nation a été le témoignage que j'ai pu rendre à l'esprit polonais. Mes convictions à ce sujet avaient désormais acquis une perspective universelle. Ce 2 juin 1980, je vivais alors la deuxième année de mon pontificat. J'avais déjà derrière moi quelques voyages apostoliques : en Amérique latine, en Afrique et en Asie. Au cours de ces voyages, j'ai pu constater que, avec mon expérience de l'histoire de ma patrie, avec la conscience, que j'avais mûrie, de la valeur de la nation, je n'étais nullement étranger aux personnes que je rencontrais. Au contraire, l'expérience de ma patrie me facilitait grandement la rencontre avec les hommes et avec les nations de tous les continents.

Les paroles prononcées à l'Unesco sur le thème de l'identité de la nation, affermie par la culture, rencontrèrent un consensus particulier de la part des représentants des pays du tiers-monde. Certains délégués de l'Europe occidentale – il m'en a du moins semblé ainsi – se montrèrent plus réservés. On pourrait se demander pourquoi. Un de mes premiers voyages apostoliques se fit au Zaïre, en Afrique équatoriale. Un pays énorme, où on parle 250 langues, parmi lesquelles quatre principales, et où vit un grand nombre de lignées et de tribus. Comment former une nation unique avec une telle pluralité et une telle diversité ? Presque tous les pays d'Afrique se trouvent dans une situation semblable. Il se peut que, en ce qui concerne la formation de la conscience nationale, ils soient dans une étape qui, dans l'histoire de la Pologne, pourrait correspondre aux temps de Mieszko Ier ou de Boleslas le Vaillant. Nos premiers rois se trouvèrent devant des tâches semblables. La thèse que j'ai exposée à l'Unesco sur la formation de l'identité de la nation par la culture rejoignait les nécessités les plus vitales de toutes les jeunes nations à la recherche de voies pour consolider leur souveraineté.

Les pays d'Europe occidentale se trouvent aujourd'hui à un stade que nous pourrions qualifier de « post-identité ». Je pense que l'un des effets de la Seconde Guerre mondiale a été justement la formation d'une telle mentalité chez les citoyens, dans le contexte d'une Europe qui allait vers l'unification. Naturellement, les raisons qui expliquent pourquoi le Vieux Continent a été poussé à l'unification sont multiples. Cependant, l'une d'entre elles est sans aucun doute le dépassement progressif de catégories exclusivement nationalistes dans la définition de l'identité propre. Oui, en règle générale, les nations d'Europe occidentale ne pensent pas qu'elles courent le risque de perdre leur identité nationale. Les Français n'ont pas peur de cesser d'être français en entrant dans l'Union européenne ; il en va de même pour les Italiens, les Espagnols, etc. Les Polonais n'ont pas, non plus, cette peur, bien que l'histoire de leur identité nationale soit beaucoup plus complexe.

Historiquement, l'esprit polonais a connu une évolution très intéressante. Il est probable qu'aucune autre nationalité en Europe n'a passé par un processus similaire. Dès l'origine, dans la période où s'amalgamaient les tribus des Polanes, des Vislanes et des autres, ce fut l'esprit polonais des Piast qui apporta l'élément unificateur : c'était, nous pourrions dire, l'esprit polonais « pur ». Puis, durant cinq siècles, il y eut l'esprit polonais de l'époque des Jagellon [24] : cet esprit permit la formation d'une République comprenant de nombreuses nations, de nombreuses cultures, de nombreuses religions. Tous les Polonais portent en eux la conscience de cette diversité religieuse et nationale. Personnellement, je viens de la Małopolska, du territoire des anciens Vislanes, étroitement lié à Cracovie. Mais en Małopolska aussi – peut-être même à Cracovie plus qu'en tout autre lieu », se ressentait la proximité de Vilnius, de Lvóv et de l'Orient.

La présence des Juifs a été un élément ethnique extrêmement important en Pologne. Je me souviens qu'au moins un tiers de mes camarades de classe à l'école élémentaire de Wadowice étaient juifs. Au lycée, ils étaient un peu moins nombreux. J'avais des liens étroits d'amitié avec quelques-uns. Et ce qui me touchait chez certains d'entre eux était leur patriotisme polonais. L'esprit polonais est donc fait, au fond, de multiplicité et de pluralisme, et non d'étroitesse et de fermeture. Il semble cependant que la dimension « jagellonienne » de l'esprit polonais, que je viens de rappeler, ait malheureusement cessé d'être quelque chose d'évident en notre temps.

Quatrième partie

Quand je pense « Europe »…

16

La patrie européenne

Après avoir réfléchi sur des concepts fondamentaux tels que patrie, nation, liberté, culture, il semble opportun, Très Saint-Père, de revenir sur le thème de l'Europe, à son rapport avec l'Église et au rôle de la Pologne dans ce contexte plus vaste. Quelle est votre vision de l'Europe ? Comment faites-vous l'évaluation des événements du passé, du présent du continent, de ses perspectives pour le troisième millénaire ? Quelles sont les responsabilités de l'Europe pour l'avenir du monde ?

Un Polonais ne peut développer une réflexion approfondie sur la patrie sans en arriver à parler de l'Europe et sans se retrouver en fin de compte à discuter de l'incidence que l'Église a eue sur le développement de l'une ou l'autre de ces réalités. Il est clair que les réalités sont diverses, mais il est aussi indubitable que les influences réciproques sont profondes. Il est donc inévitable que, dans les propos, apparaissent des références à l'une ou à l'autre de ces réalités : patrie, Europe, Église, monde.

La Pologne est une composante de l'Europe. Elle

se trouve dans le continent européen, avec un territoire délimité par certaines frontières ; elle est entrée en contact avec le christianisme de tradition latine par la Bohême voisine. Lorsqu'on parle des débuts du christianisme en Pologne, il faut remonter en esprit aux débuts du christianisme en Europe. Dans les Actes des apôtres, nous lisons que saint Paul, alors qu'il était encore en train d'annoncer l'Évangile en Asie Mineure, fut appelé de manière mystérieuse à franchir la limite entre les deux continents (cf. Actes 16, 9). L'évangélisation de l'Europe commença à ce moment-là. Les apôtres eux-mêmes, et en particulier Paul et Pierre, portèrent l'Évangile en Grèce et à Rome, et, avec le temps, ces débuts apostoliques donnèrent des fruits. L'Évangile a pénétré le continent européen par des chemins divers : la péninsule italique, le territoire de la France actuelle et de l'Allemagne, la péninsule Ibérique, les îles Britanniques et la Scandinavie. Il est significatif que le centre d'où partaient les missionnaires, hormis Rome, était l'Irlande. En Orient, le centre de diffusion du christianisme dans sa version byzantine, et plus tard slave, fut Constantinople. Pour le monde slave, la mission des saints frères Cyrille et Méthode est particulièrement importante, eux qui entreprirent leur œuvre d'évangélisation en partant de Constantinople, mais demeurant en même temps en contact avec Rome. À ce moment-là, en effet, il n'y avait pas de division entre les chrétiens d'Orient et d'Occident.

Pourquoi, traitant de l'Europe, commençons-nous à parler d'évangélisation ? La raison en est peut-être simplement dans le fait que c'est l'évangélisation qui a formé l'Europe, qui a donné naissance à la civilisation de ses peuples et à leurs cultures. La diffusion de la foi dans le continent a favorisé la formation des différents peuples européens, mettant en eux les germes de cultures aux caractéristiques diverses, mais reliées entre elles par un patrimoine de valeurs communes, celles qui étaient enracinées précisément dans l'Évangile. Ainsi, le pluralisme des cultures nationales s'était développé sur la base d'une plate-forme de valeurs partagées par le continent tout entier. Il en fut ainsi au premier millénaire et, d'une certaine manière, malgré les divisions qui intervinrent ensuite, au deuxième millénaire aussi : l'Europe a continué à vivre l'unité des valeurs fondatrices dans le pluralisme des cultures nationales.

En disant que l'évangélisation a apporté une contribution fondamentale à la formation de l'Europe, nous n'entendons pas sous-évaluer l'influence du monde classique. Dans son action évangélisatrice, l'Église a assumé en son sein et a modulé en des formes nouvelles le patrimoine culturel qui la précédait. Tout d'abord, l'héritage d'Athènes et de Rome, et également, par la suite, celui des peuples qu'elle rencontrait peu à peu dans son expansion sur le continent. Dans l'évangélisation de l'Europe, qui garantissait une certaine unité culturelle du monde latin en Occident et du monde byzantin en Orient, l'Église avançait en appliquant les critères de ce que l'on qualifie aujourd'hui d'inculturation. Elle contribua en effet au développement des cultures autochtones et nationales. Il est donc bon que l'Église ait proclamé patrons de l'Europe tout d'abord saint Benoît, puis encore les saints Cyrille et Méthode, faisant ainsi apparaître aux yeux de tous le grand processus d'inculturation réalisé au cours des siècles et rappelant en même temps que, sur le continent européen, elle doit respirer avec « deux poumons ». Il s'agit naturellement d'une métaphore, mais d'une métaphore très parlante. De même qu'un organisme sain a besoin de deux poumons pour respirer régulièrement, de même aussi l'Église, qui est également un organisme sur le plan spirituel, a besoin de ces deux traditions pour pouvoir puiser plus pleinement dans les richesses de la Révélation.

Le long processus de formation de l'Europe chrétienne s'étend sur tout le premier millénaire et en partie aussi sur le deuxième. On peut dire qu'au cours de ce processus, non seulement s'est consolidé le caractère chrétien de l'Europe, mais s'est aussi modelé l'esprit européen lui-même. Les fruits d'un tel processus sont visibles à notre époque, plus encore peut-être que dans l'Antiquité ou au Moyen Âge. À ces périodes-là, en effet, le monde était beaucoup moins connu. À l'est de l'Europe, s'étendait le mystérieux continent asiatique avec ses très anciennes cultures et aussi avec des religions plus anciennes que le christianisme. L'énorme continent américain était totalement inconnu jusqu'à la fin du XVe siècle. Il en va évidemment de même pour l'Australie, qui fut découverte encore plus tard. Quant à l'Afrique, dans l'Antiquité et le Moyen Âge, on n'en connaissait que la partie septentrionale, méditerranéenne. C'est pourquoi penser de manière réfléchie avec des catégories « européennes » advint seulement plus tard, lorsque tout le globe commença à être suffisamment exploré. Au cours des siècles précédents, on pensait avec des catégories liées aux différents empires : tout d'abord l'empire d'Égypte, puis les empires du Proche-Orient en mutations continuelles, ensuite l'empire d'Alexandre le Grand, et enfin l'empire romain.

En lisant les Actes des apôtres, il importe de prendre le temps de considérer un événement d'une grande portée pour l'évangélisation de l'Europe et aussi pour l'histoire de l'esprit européen lui-même. Je veux me référer à ce qui s'est passé à l'Aréopage d'Athènes, lorsque saint Paul y arriva et qu'il y tint un discours particulièrement célèbre : « Citoyens d'Athènes, dit-il, je constate que vous êtes, en toutes choses, des hommes particulièrement religieux. En effet, en parcourant la ville, et en observant vos monuments sacrés, j'y ai trouvé, en particulier, un autel portant cette inscription : "Au dieu inconnu". Or, ce que vous vénérez sans le connaître, voilà ce que, moi, je viens vous annoncer. Le Dieu qui a fait le monde et tout ce qu'il contient, lui qui est le Seigneur du ciel et de la terre, n'habite pas les temples construits par l'homme, et ne se fait pas servir par la main des hommes. Il n'a besoin de rien, lui qui donne à tous la vie, le souffle et tout le reste. À partir d'un seul homme, il a fait tous les peuples pour qu'ils habitent sur toute la surface de la terre, fixant la durée de leur histoire et les limites de leur habitat ; il les a faits pour qu'ils cherchent Dieu et qu'ils essaient d'entrer en contact avec lui et de le trouver, lui qui, en vérité, n'est pas loin de chacun de nous. En effet, c'est en lui qu'il nous est donné de vivre, de nous mouvoir et d'exister ; c'est bien ce que disent certains de vos poètes : oui nous sommes de sa race. Si donc nous sommes de la race de Dieu, nous ne devons pas penser que la divinité ressemble à l'or, à l'argent ou à la pierre travaillés par l'art et l'imagination de l'homme. Et voici que Dieu, sans tenir compte des temps où les hommes l'ont ignoré, leur annonce maintenant qu'ils ont tous, partout, à se convertir. En effet, il a fixé le jour où il va juger l'univers avec justice, par un homme qu'il a désigné ; il en a donné la garantie à tous en ressuscitant cet homme d'entre les morts » (Actes 17, 22-31).

En lisant cette page, on se rend compte que Paul s'est présenté à l'Aréopage bien préparé : il connaissait la philosophie, et la poésie grecques. Il s'adressa aux Athéniens, partant de l'idée du « Dieu inconnu » auquel ils avaient dédié un autel. Il illustra les attributs éternels de ce Dieu : la sagesse, la toute-puissance, l'omniprésence, le caractère immatériel, la justice. De cette manière, à travers une sorte de théodicée dans laquelle il faisait appel uniquement aux éléments rationnels, Paul préparait son auditoire à écouter l'annonce du mystère de l'Incarnation. Il put ainsi parler de la Révélation de Dieu en l'Homme, dans le Christ crucifié et ressuscité. Mais c'est précisément ce point que ses auditeurs athéniens qui, jusqu'à ce moment semblaient disposés à accueillir favorablement sa proposition, réagirent de manière négative. Nous lisons dans le livre des Actes : « Quand ils entendirent parler de résurrection des morts, les uns riaient, et les autres déclarèrent : "Sur cette question, nous t'écouterons une autre fois" » (17, 32). Ainsi donc, la mission de Paul à l'Aréopage s'acheva par un échec, même si certains parmi ceux qui l'avaient écouté adhérèrent à lui et crurent à ses paroles. Selon la tradition, il y avait parmi eux Denys l'Aréopagite.

Pour quelle raison ai-je rapporté intégralement le discours de Paul à l'Aréopage ? Parce qu'il constitue, d'une certaine manière, l'introduction à ce que le christianisme devait réaliser en Europe. Après la période du magnifique développement de l'évangélisation qui, au cours du premier millénaire, parvint à presque tous les pays européens, arriva le Moyen Âge avec son universalisme chrétien : le Moyen Âge d'une foi simple, forte et profonde ; le Moyen Âge des cathédrales romanes et gothiques, et des extraordinaires sommes théologiques. L'évangélisation de l'Europe semblait non seulement terminée, mais aussi mûre sous tous ses aspects : mûre non seulement dans le champ de la pensée philosophique et théologique, mais aussi dans le domaine des arts et de l'architecture sacrée, ainsi que dans le domaine de la solidarité sociale (association des Arts et Métiers, confréries, hôpitaux…). Toutefois, à partir de l'an 1054, cette Europe mûre, fut marquée par la profonde blessure du « schisme d'Orient ». Dans l'unique organisme de l'Église, les deux poumons avaient cessé de fonctionner : chacun d'entre eux avait même commencé à former presque un organisme à part. Cette division marqua la vie spirituelle de l'Europe chrétienne à partir du début du deuxième millénaire.

Le début des temps modernes apporta de nouvelles fissures et de nouvelles divisions, cette fois-ci en Occident. La prise de position de Martin Luther marqua le début de la Réforme. D'autres réformateurs, comme Calvin et Zwingli, le suivirent. Dans cette même ligne, il faut aussi voir l'éloignement du Siège de Pierre de la part de l'Église dans les îles Britanniques. L'Europe occidentale, qui était un continent uni du point de vue religieux durant le Moyen Âge, fit donc, au début des temps modernes, l'expérience de graves divisions, qui se sont renforcées au cours des siècles suivants. Il en découla des conséquences de caractère politique, sur la base du principe *cuius regio eius religio*. Telle la religion du Prince, telle celle du pays. Parmi les conséquences, on ne peut pas ne pas mentionner celle, particulièrement triste, des guerres de religion.

Tout cela fait partie de l'histoire de l'Europe et a pesé sur l'esprit européen, influant sur la vision de l'avenir, presque comme une préannonce des divisions ultérieures et des nouvelles souffrances qui se manifesteraient au cours des temps. Il faut cependant souligner que la foi au Christ crucifié et ressuscité est restée comme dénominateur commun pour les chrétiens du temps de la Réforme. Ils étaient divisés pour ce qui concernait leur rapport avec l'Église et avec Rome, mais ils ne rejetaient pas la vérité de la résurrection du Christ, comme l'avaient fait les auditeurs de saint Paul à l'Aréopage d'Athènes. Il en fut ainsi du moins au début. Avec le temps malheureusement, on devait progressivement en arriver là aussi.

Le refus du Christ et en particulier de son mystère pascal – de la croix et de la résurrection – se dessina à l'horizon de la pensée européenne à cheval sur le XVIIᵉ et le XVIIIᵉ siècle, dans la période des Lumières. Tout d'abord les Lumières françaises, puis anglaises et allemandes. Dans leurs diverses expressions, les Lumières s'opposèrent à ce que l'Europe était devenue sous l'effet de l'évangélisation. Leurs représentants pouvaient être en quelque sorte assimilés aux auditeurs de Paul à l'Aréopage. La majorité d'entre eux ne refusaient pas l'existence du « Dieu inconnu » comme Être spirituel et transcendant, dans lequel il « nous est donné de vivre, de nous mouvoir et d'exister » (Actes 17, 28). Cependant, les « illuministes » radicaux, plus de quinze siècles après le discours à l'Aréopage, repoussaient la vérité sur le Christ, le Fils de Dieu qui s'est fait connaître en se faisant homme, en naissant de la Vierge à Bethléem, en annonçant la Bonne Nouvelle et en donnant enfin sa vie pour les péchés de tous les hommes. De ce Dieu-homme, mort et ressuscité, la pensée européenne des Lumières voulait se défaire, et elle fit de nombreux efforts pour l'exclure de l'histoire du continent. Il s'agit d'un effort auquel de nombreux penseurs et hommes politiques actuels continuent de rester obstinément fidèles.

Les représentants de la pensée postmoderne évaluent de manière critique tant le patrimoine valable que les illusions des Lumières. Parfois cependant, leur critique est excessive, car elle en arrive à ne pas reconnaître la valeur de leurs positions en matière d'humanisme, de confiance en la raison, de progrès. À ce sujet, on ne peut pas ne pas considérer en même temps l'attitude polémique de nombreux penseurs illuministes envers le christianisme. Le vrai « drame culturel » encore en vigueur de nos jours réside précisément dans le fait que sont opposées au christianisme des idées comme celles qui sont rappelées ci-dessus et qui sont en réalité profondément enracinées dans la tradition chrétienne elle-même.

Avant d'aller plus loin dans l'analyse de cet esprit européen, je voudrais encore me référer à une autre page du Nouveau Testament, celle dans laquelle Jésus propose l'allégorie de la vigne et des sarments. Le Christ affirme : « Moi, je suis la vigne, et vous, les sarments » (Jean 15, 5). Il développe ensuite cette grande métaphore, traçant une sorte de théologie de l'Incarnation et de la Rédemption. Il est le cep de la vigne, son Père en est le vigneron, les hommes en sont les sarments. Jésus propose cette comparaison à ses apôtres la veille de sa Passion : l'homme comme un sarment. Blaise Pascal s'approche de cette image quand il décrit l'homme comme un « roseau pensant » [25]. Toutefois, l'aspect le plus profond et le plus fondamental de la métaphore concerne ce que le Christ dit à propos de la culture de la vigne. Dieu, qui a créé l'homme, se préoccupe de sa créature. En tant que vigneron, il la cultive. Il la cultive de la manière qui lui est propre. Il greffe l'humanité sur le « cep » de la divinité de son Fils premier-né. Le Fils éternel et consubstantiel au Père se fait justement homme pour cela.

Pourquoi cette « culture » de la part de Dieu ? Est-il possible de greffer un sarment humain sur la Vigne qui est le Dieu fait homme ? La réponse de la Révélation est claire : depuis les origines, l'homme a été appelé à l'existence à l'image et à la ressemblance de Dieu (cf. Genèse 1, 27), et donc, dès les origines, son être d'homme cache en lui quelque chose de divin. L'humanité de l'homme peut donc être « cultivée » aussi de cette manière extraordinaire. Plus encore, dans l'économie actuelle du salut, c'est seulement en acceptant d'être greffé sur la vie divine du Christ que l'homme peut se réaliser pleinement lui-même. En refusant d'y être greffé, il se condamne de fait à une humanité incomplète.

À ce point de notre réflexion sur l'Europe, pourquoi recourir à la parabole du Christ sur la vigne et sur les sarments ? Peut-être parce qu'elle nous permet précisément d'expliquer de la meilleure des manières le drame des Lumières européennes. En rejetant le Christ, ou du moins en mettant entre parenthèses son action dans l'histoire de l'homme et de la culture, un certain courant de pensée européen a marqué un tournant. L'homme a été privé de la « vigne », du greffage sur cette Vigne par lequel il est assuré d'atteindre la plénitude de son humanité. On peut dire que, d'une façon qualitativement nouvelle et jamais connue auparavant, ou du moins jamais à une telle échelle, s'est ouverte la voie vers les expériences dévastatrices du mal qui devaient venir plus tard.

Selon la définition de saint Thomas, le mal est l'absence d'un bien qui devrait se trouver dans un être déterminé. Dans l'homme, en tant qu'être créé à l'image et à la ressemblance de Dieu, et racheté par le Christ après le péché, on devrait trouver le bien de la participation à la nature divine et à la vie de Dieu lui-même, le Christ lui ayant mérité ce privilège inouï par les mystères de l'Incarnation et de la Rédemption. Priver l'homme d'un tel bien équivaut – pour utiliser le langage de l'Évangile – à couper le sarment de la vigne. La conséquence en est que le sarment humain ne peut pas se développer vers la plénitude que le « vigneron », c'est-à-dire le Créateur, a pensée et envisagée pour lui.

17

L'évangélisation
de l'Europe centrale et orientale

L'évangélisation de la partie centrale et orientale du continent européen, comme Votre Sainteté l'a mentionné, a eu une histoire singulière. Cela n'a pas manqué d'avoir une influence sur la physionomie culturelle des différents peuples.

Nous devons en effet porter une attention particulière à l'évangélisation qui a eu son origine à Byzance. On peut dire que les saints Cyrille et Méthode, les apôtres des Slaves, en sont le symbole. Ils étaient grecs et venaient de Thessalonique. Ils entreprirent l'évangélisation des Slaves, partant de l'actuel territoire de la Bulgarie. Leur première préoccupation fut d'apprendre la langue locale, en transposant les sons en un certain nombre de signes graphiques qui formèrent le premier alphabet slave, appelé ensuite cyrillique. Avec quelques changements, ce dernier est encore en usage aujourd'hui dans les pays de l'Orient slave, tandis que l'Occident slave a repris l'écriture latine, se servant initialement du latin comme langue des classes cultivées, puis formant peu à peu sa propre littérature.

À l'invitation du prince de la Grande Moravie, Cyrille et Méthode œuvrèrent sur le territoire où s'étendait cet État au IXᵉ siècle. Ils ont probablement atteint aussi le pays des Vislanes, au-delà des Carpates. Ils œuvrèrent certainement dans la région de la Pannonie, et donc de l'actuelle Hongrie, comme aussi des territoires de la Croatie, de la Bosnie-Herzégovine, et dans la région de Ohrid, c'est-à-dire dans la région de la Macédoine slave. Ils laissèrent derrière eux des disciples, qui continuèrent leur activité missionnaire. Les deux saints frères exercèrent une influence sur l'évangélisation des Slaves, même dans les territoires au nord de la mer Noire. En effet, l'évangélisation des Slaves, grâce au baptême de saint Vladimir en 988, s'étendit dans toute la Rus' de Kiev, et après cela, progressivement, elle poussa vers le nord de la Russie actuelle et parvint jusqu'à l'Oural. Au XIIIᵉ siècle, à la suite des invasions des Mongols, qui détruisirent la Rus' de Kiev, cette évangélisation traversa une grande épreuve de portée historique. Néanmoins, les nouveaux centres religieux et politiques au Nord, et spécialement Moscou, surent non seulement protéger leur tradition chrétienne dans sa forme slavo-byzantine, mais ils réussirent aussi à la diffuser dans le cadre de l'Europe jusqu'à l'Oural, et aussi au-delà de l'Oural, dans le territoire de la Sibérie et du nord de l'Asie.

Tout cela fait partie de l'histoire de l'Europe et reflète, en quelque sorte, la nature de l'esprit européen lui-même. Si la période qui fait suite à la

Réforme, sous la poussée du principe *cuius regio eius religio*, conduisit aux guerres de religion, de nombreux chrétiens des différentes Églises se rendirent compte du fait que ces guerres étaient en contradiction avec l'Évangile et ils réussirent progressivement à faire prévaloir le principe de la liberté religieuse, par lequel on affirmait la possibilité de choisir personnellement sa confession religieuse et l'appartenance ecclésiale qui s'ensuivait. En outre, avec le temps, les différentes confessions chrétiennes, spécialement celles qui sont d'origine évangélique et protestante, commencèrent à marcher vers la recherche d'ententes et d'accords : c'étaient les premiers pas de ce qui deviendrait le mouvement œcuménique. En ce qui concerne l'Église catholique, un événement décisif en ce domaine a été constitué par le concile Vatican II, au cours duquel elle a défini sa position propre concernant toutes les églises et communautés ecclésiales vivant hors de l'unité catholique, et elle s'est engagée avec une totale détermination dans l'activité œcuménique. Cet événement est important pour la pleine unité future entre tous les chrétiens. Au cours du XXᵉ siècle tout particulièrement, ces derniers se sont rendu compte qu'ils ne pouvaient pas faire autrement que de rechercher entre eux l'unité pour laquelle le Christ avait prié la veille de sa Passion : « Que tous soient un. Comme toi, Père, tu es en moi et moi en toi, qu'eux aussi soient un en nous, afin que le monde croie que tu m'as envoyé » (Jean 17, 21). Les patriarches de l'Orient orthodoxe étant eux aussi engagés activement dans le dialogue œcuménique, on peut nourrir l'espérance de la pleine unité dans un avenir pas trop lointain. Pour sa part, le Siège apostolique est déterminé à faire tout ce qui est en son pouvoir dans cette direction, par le dialogue, que ce soit avec l'orthodoxie ou avec les différentes églises et communautés ecclésiales d'Occident.

Comme il est dit dans les Actes des Apôtres, l'Europe a reçu le christianisme de Jérusalem, à travers l'Asie Mineure. C'est de Jérusalem que partaient initialement les voies missionnaires qui devaient mener les apôtres du Christ « jusqu'aux extrémités de la terre » (Actes 1, 8). Mais, déjà aux temps apostoliques, le centre de la diffusion missionnaire se déplaça en Europe. Avant tout à Rome, où les saints apôtres Pierre et Paul rendirent témoignage au Christ ; et aussi à Constantinople, c'est-à-dire Byzance. L'évangélisation eut ainsi deux centres principaux, Rome et Byzance. De ces villes partirent les missionnaires pour répondre à l'injonction du Christ : « Allez donc ! De toutes les nations faites des disciples, baptisez-les au nom du Père, et du Fils, et du Saint-Esprit » (Matthieu 28, 19). Les effets de cette activité missionnaire sont encore aujourd'hui visibles en Europe : ils se manifestent dans l'orientation culturelle des populations. Si les missionnaires provenant de Rome ont lancé un processus d'inculturation, qui a donné naissance à la version latine du christianisme, les missionnaires provenant de Byzance en ont promu la version byzantine : d'abord grecque, puis slave, cyrillique et méthodienne. Tout au long de ces deux parcours principaux, s'est opérée l'évangélisation de toute l'Europe.

Cependant, peu à peu, à travers les siècles, l'évangélisation a dépassé les confins de l'Europe. Ce fut une épopée glorieuse, sur laquelle la question de la colonisation jette néanmoins une ombre. Dans le sens moderne du terme, on peut parler de colonisation à partir de la découverte de l'Amérique. Le continent américain fut précisément la première grande « colonie » européenne : dans sa partie méridionale et centrale par l'œuvre des Espagnols et des Portugais, et au Nord à l'instigation des Français et des Anglo-saxons. La colonisation a été un phénomène transitoire. Quelques siècles après la découverte de l'Amérique, au sud et au nord se sont formées de nouvelles sociétés, ainsi que de nouveaux États postcoloniaux, qui sont devenus, dans une mesure toujours plus importante, de véritables partenaires de l'Europe.

La célébration du cinq centième anniversaire de la découverte de l'Amérique a donné l'occasion de se poser l'importante question du rapport entre le développement des sociétés américaines du Nord et du Sud, et les droits des populations autochtones. En définitive, cette question accompagne toute colonisation, celle du continent africain également. Cela vient du fait que la colonisation implique toujours d'apporter et de greffer la « nouveauté » sur un tronc ancien. D'une certaine manière, cela sert au progrès des populations autochtones, mais comporte en même temps une sorte d'expropriation non seulement de leurs terres, mais aussi de leur patrimoine spirituel. Dans quelle mesure une telle question s'est-elle manifestée en Amérique du Nord et en Amérique du Sud ? Quelle doit en être l'évaluation morale, à la lumière des diverses situations qui se sont vérifiées dans l'histoire ? Ce sont des questions qu'il est juste de se poser, et il est de notre devoir d'en chercher une réponse appropriée. Il est aussi de notre devoir de reconnaître les fautes commises par les colonisateurs, de même que l'engagement qui s'ensuit de pourvoir autant que possible à leur réparation.

Dans tous les cas, la question de la colonisation fait en quelque sorte partie de l'histoire de l'Europe et de l'esprit européen. L'Europe est relativement petite. Mais en même temps c'est un continent très développé auquel la Providence, pourrait-on dire, a confié la tâche de mettre en œuvre un échange multiple de biens entre les diverses parties du monde, entre les différents pays, entre les différentes nations et les divers peuples du globe. On ne peut pas oublier non plus que c'est de l'Europe que l'activité missionnaire de l'Église s'est répandue dans le monde. Après avoir reçu de Jérusalem la Bonne Nouvelle du salut, l'Europe – tant romaine que byzantine – est devenue un grand centre d'évangélisation du monde et, malgré toutes les crises, elle n'a pas cessé de l'être jusqu'à aujourd'hui. Il est possible que la situation change. Il se peut que dans un avenir plus ou moins lointain, l'Église dans les pays européens se trouve dans la nécessité d'être aidée par l'Église présente dans d'autres continents. Si cela se produit, la nouvelle situation pourra être interprétée comme une sorte d'extinction des « dettes » contractées par ces continents à l'égard de l'Europe, pour l'annonce de l'Évangile.

Parlant de l'Europe, il convient en définitive de relever qu'il n'est pas possible de revenir à son histoire moderne sans considérer les deux grandes révolutions : la Révolution française vers la fin du XVIIIe siècle, et la révolution russe au début du XXe. Toutes deux furent une réaction contre le système féodal, qui avait pris en France la forme de l'« absolutisme illuminé », et en Russie celle de l'« autocratie » tsariste (*samodierżawie*). La Révolution française, qui fit de nombreuses victimes innocentes, ouvrit en définitive la voie du pouvoir à Napoléon, qui se proclama empereur des Français, dominant l'Europe durant la première décennie du XIXe siècle grâce à son génie militaire. Après la chute de Napoléon, le congrès de Vienne rendit à l'Europe le système de l'absolutisme illuminé ; il en fut en particulier ainsi dans les pays responsables de la partition de la Pologne. La fin du XIXe siècle et les débuts du XXe siècle confirmèrent cette distribution des forces, enregistrant la naissance et la consolidation de certaines nations en Europe, telle la nation italienne.

Dans la deuxième décennie du XXe siècle, la situation européenne dégénéra jusqu'à ce qu'éclate la Première Guerre mondiale : ce fut un affrontement sanglant entre les « grandes alliances » – d'une part la France, la Grande-Bretagne et la Russie auxquelles se joignit l'Italie, d'autre part l'Allemagne et l'Autriche –, mais ce fut aussi le conflit d'où sortit, pour certains peuples, la liberté. En 1918, au terme de la Première Guerre mondiale, apparurent à nouveau sur la carte de l'Europe des États qui avaient jusqu'alors été privés de leur liberté par la puissance des envahisseurs. Ainsi, l'année 1918 marqua le retour de l'indépendance de la Pologne, de la Lituanie, de la Lettonie et de l'Estonie. Au même moment, naissait au Sud, la libre République tchèque, tandis que certaines autres nations du centre de l'Europe entraient dans la Fédération yougoslave. L'Ukraine et la Biélorussie ne parvenaient pas encore à l'indépendance, malgré les aspirations et les attentes bien connues de ces peuples. Cette distribution des forces en Europe – nouvelle sous l'aspect politique – résistera à peine vingt ans.

18

Des bons fruits
sur le terrain des Lumières

*L'irruption du mal, qui a eu lieu pendant la Pre-
mière Guerre mondiale, eut une suite encore plus ter-
rifiante au cours de la Seconde et dans les crimes dont
nous avons parlé au commencement de nos entre-
tiens. Et vous, Très Saint-Père, vous avez dit que le
regard sur l'Europe d'aujourd'hui ne peut pas se
limiter au mal, à l'héritage destructeur des Lumières
et de la Révolution française, que l'on vient d'évoquer. Ce serait en effet un regard unilatéral. Comment faut-il donc élargir la perspective pour saisir
aussi les aspects positifs de l'histoire moderne de notre
Europe ?*

Les Lumières européennes n'ont pas seulement
produit les atrocités de la Révolution française : elles
ont eu des fruits positifs comme les idées de liberté,
d'égalité et de fraternité, qui sont aussi des valeurs
enracinées dans l'Évangile. Même si elles ont été
proclamées indépendamment de lui, ces idées révé-
laient à elles seules leur origine. De cette façon, les
Lumières françaises ont préparé le terrain à une
meilleure compréhension des droits de l'homme. En

vérité, la Révolution a violé de fait, et de bien des manières, ces droits. Toutefois, la reconnaissance effective des droits de l'homme commença à partir de là à être mise en œuvre avec une plus grande détermination, dépassant les traditions féodales. Il faut cependant relever que ces droits étaient déjà reconnus comme fondés dans la nature de l'homme créé par Dieu à son image et proclamés comme tels dans la Sainte Écriture dès les premières pages du livre de la Genèse. Le Christ lui-même y fait référence à plusieurs reprises, lui qui dans l'Évangile affirme, entre autres, que « le sabbat a été fait pour l'homme, et non pas l'homme pour le sabbat » (Marc 2, 27). Par ces paroles il explique avec autorité la dignité supérieure de l'homme, indiquant, en définitive, le fondement divin de ses droits.

L'idée du droit de la nation, lui aussi, a un lien avec la tradition des Lumières, et même avec la Révolution française. Dans cette période historique que fut le XVIIIe siècle, le droit de la nation à l'existence, à sa propre culture et aussi à la souveraineté politique, était particulièrement important pour de nombreuses nations du continent européen, et même en dehors de ses frontières. Il l'était pour la Pologne, qui justement en ces années, malgré la Constitution du 3 mai [26], était sur le point de perdre son indépendance. Il l'était en particulier, au-delà de l'Atlantique, pour les États-Unis d'Amérique, qui étaient alors en cours de formation. Il est significatif que ces trois événements – la Révolution française (14 juillet 1789), la proclamation de la Constitution du 3 mai (1791) en Pologne et la déclaration de l'Indépendance des États-Unis d'Amérique (4 juillet 1776) – se soient produits à une aussi brève distance l'un de l'autre. Mais on pourrait encore dire des choses identiques pour divers pays d'Amérique latine qui, après une longue période féodale, étaient alors en train d'accéder à une nouvelle conscience nationale et mûrissaient en conséquence des aspirations à l'indépendance contre la Couronne espagnole ou portugaise.

Ainsi donc, les désirs de liberté, d'égalité et de fraternité allaient s'affermissant – malheureusement dans le sang de nombreuses victimes sacrifiées sur l'échafaud – et éclairaient l'histoire des peuples et des nations, du moins dans les deux continents européen et américain, donnant naissance à une nouvelle période de l'histoire. Quant à l'idée de fraternité, idée tout à fait évangélique, le temps de la Révolution française la renforça de manière nouvelle dans l'histoire de l'Europe et du monde. La fraternité est un lien qui unit entre eux non seulement les hommes, mais aussi les nations. L'histoire du monde devrait être gouvernée par le principe de la fraternité des peuples, et non seulement par le jeu des forces politiques ou de l'hégémonie de la volonté des monarques, sans considération suffisante pour les droits de l'homme et des nations.

Les idées de liberté, d'égalité et de fraternité furent aussi providentielles au commencement du XIXᵉ siècle par le fait que ces années devaient conduire à un grand tournant dans ce qu'on appelle la question sociale. Le capitalisme des débuts de la révolution industrielle foulait aux pieds de diverses manières la liberté, l'égalité et la fraternité, permettant l'exploitation de l'homme par l'homme en se conformant aux lois du marché. La conscience illuministe, surtout par sa conception de la liberté, favorisa certainement la naissance du *Manifeste communiste* de Karl Marx, mais suscita également – et même, dans une certaine mesure indépendamment de cette déclaration – la formation des principes de la justice sociale, justice qui, elle aussi, avait sa racine ultime dans l'Évangile. Constater que ces processus d'empreinte des Lumières ont souvent porté à une redécouverte en profondeur de vérités contenues dans l'Évangile est source de réflexion. Les encycliques sociales elles-mêmes le mettent en évidence, de *Rerum novarum* de Léon XIII aux encycliques du XXᵉ siècle, jusqu'à *Centesimus annus*.

Dans les documents du concile Vatican II on peut trouver une synthèse stimulante du rapport entre le christianisme et les Lumières. En vérité, les textes n'en parlent pas directement, mais, si on les examine plus profondément à la lumière du contexte culturel contemporain, ils offrent de nombreuses et précieuses indications à ce sujet. Dans l'exposé de la doctrine, le concile a volontairement adopté une ligne qui ne soit pas polémique. Il a préféré se présenter comme une nouvelle expression de l'inculturation qui a accompagné le christianisme depuis le temps des apôtres. En suivant ses indications, les chrétiens peuvent aller à la rencontre du monde contemporain et engager avec lui un dialogue constructif. Ils peuvent aussi se pencher sur l'homme blessé, comme le Samaritain de l'Évangile, cherchant à soigner ses blessures en ce début du XXIᵉ siècle. Le souci d'aider l'homme est incomparablement plus important que les polémiques et que les accusations concernant, par exemple, le fond illuministe des grandes catastrophes historiques du XXᵉ siècle. En effet, l'esprit de l'Évangile s'exprime avant tout dans la disponibilité à offrir au prochain une aide fraternelle.

« En réalité, le mystère de l'homme ne s'éclaire vraiment que dans le mystère du Verbe incarné [27]. » Par ces paroles, le concile Vatican II exprime l'anthropologie qui est à la base de tout le magistère conciliaire. Non seulement le Christ indique aux hommes les chemins de la vie intérieure, mais il se propose lui-même comme « chemin » à suivre pour arriver au but. Il est le « chemin » parce qu'il est le Verbe incarné, parce qu'il est l'Homme. Nous lisons encore dans le texte conciliaire : « En effet, Adam, le premier homme, était la figure de l'homme à venir, c'est-à-dire du Christ Seigneur. Nouvel Adam, le Christ, dans la révélation même du mystère du Père et de son amour, manifeste pleinement l'homme à lui-même et lui dévoile sa plus haute vocation. [28] » Seul le Christ par son humanité révèle totalement le mystère de l'homme. En effet, pénétrer à fond la signification de ce mystère n'est possible que si l'on prend comme point de départ la création de l'homme à l'image et à la ressemblance de Dieu. L'être humain ne peut pas se comprendre pleinement lui-même sur la base de la référence aux autres créatures du monde visible. La clé pour se comprendre lui-même, l'homme la trouve en contemplant le Prototype divin, le Verbe incarné, Fils éternel du Père. La Sainte Trinité est donc source première et décisive pour comprendre la nature intime de l'être humain. C'est de tout cela que parle la formule biblique de « l'image et de la ressemblance » déjà contenue dans les premières pages du livre de la Genèse (cf. Genèse 1, 26-27). Pour expliquer en profondeur l'essence de l'homme, il faut donc remonter à cette source.

La constitution *Gaudium et spes* continue à développer cette pensée fondamentale. Le Christ, qui « est "l'image du Dieu invisible" (Colossiens 1, 15), est aussi l'homme parfait qui a restauré pour les fils d'Adam la ressemblance divine, déformée depuis le premier péché. Parce que, en lui, la nature humaine a été assumée, non absorbée, par là même elle a été élevée, en nous aussi, à une dignité sublime [29]. » Cette catégorie de la dignité est très importante, plus encore essentielle, pour la pensée chrétienne sur l'homme. Elle est appliquée abondamment dans toute l'anthropologie, non seulement théorique mais aussi pratique, dans l'enseignement de la morale, et même dans les documents de caractère politique. Selon l'enseignement du concile, la dignité propre de l'homme ne se fonde pas seulement sur le fait d'être homme, mais plus encore sur le fait que, en Jésus-Christ, Dieu s'est fait vrai homme. Nous lisons donc ensuite : « Par son incarnation, le Fils de Dieu lui-même s'est en quelque sorte uni à tout homme. Il a travaillé avec des mains d'homme, il a pensé avec une intelligence d'homme, il a agi avec une volonté d'homme, il a aimé avec un cœur d'homme. Né de la Vierge Marie, il est vraiment devenu l'un de nous, en tout semblable à nous, hormis le péché [30]. » Derrière cette formulation il y a un grand effort doctrinal de l'Église du premier millénaire, pour présenter correctement le mystère du Dieu-Homme. On le voit dans presque tous les conciles, qui reviennent, sous divers aspects, à ce mystère de la foi, fondamental pour le christianisme. Le concile Vatican II base son enseignement sur toute la richesse doctrinale élaborée précédemment concernant la divine humanité du Christ, afin d'en tirer une conclusion essentielle pour l'anthropologie chrétienne. En cela consiste son caractère innovateur.

Le mystère du Verbe incarné nous aide à comprendre le mystère de l'homme, même dans sa dimension historique. En effet, le Christ est le « dernier Adam », comme l'enseigne saint Paul dans la première Lettre aux Corinthiens (15, 45). Ce nouvel Adam est le Rédempteur de l'homme, le Rédempteur du premier Adam, c'est-à-dire de l'homme historique, marqué par l'héritage de la chute originelle. Nous lisons dans *Gaudium et spes* : « Agneau innocent, ayant versé librement son sang, il nous a mérité la vie, et en lui Dieu nous a réconciliés avec lui-même et entre nous, et nous a arrachés à l'esclavage du diable et du péché, de sorte que chacun d'entre nous peut dire avec l'Apôtre : le Fils de Dieu "m'a aimé et il s'est livré lui-même pour moi" » (Galates 2, 20). En souffrant pour nous, il ne nous a pas simplement donné l'exemple, afin que nous suivions ses traces, mais il a ouvert une voie nouvelle : « Si nous la suivons, la vie et la mort sont sanctifiées et acquièrent un sens nouveau [...] Certes, la nécessité et le devoir de lutter contre le mal au milieu de nombreuses tribulations et d'endurer la mort pèsent aussi sur le chrétien : mais associé au mystère pascal, devenant conforme au Christ dans la mort, fortifié par l'espérance, il va au-devant de la résurrection. [31] »

On dit que le concile a apporté dans son sillage ce que Karl Rahner a appelé le « virage anthropologique ». L'intuition est valable, mais en tout cas elle ne doit pas faire oublier que ce virage a un caractère profondément christologique. L'anthropologie de Vatican II est enracinée dans la christologie, et donc en définitive dans la théologie. Les passages de la constitution *Gaudium et spes* qui ont été mentionnées constituent, à y regarder de près, le noyau même du virage que l'Église a réalisé dans l'exposé de son anthropologie. Sur la base de cet enseignement, j'ai écrit dans l'encyclique *Redemptor hominis* que « l'homme est la route de l'Église [32] ».

Gaudium et spes souligne très fermement que l'explication du mystère de l'homme, enracinée comme elle l'est dans le mystère du Verbe incarné, « ne vaut pas seulement pour ceux qui croient au Christ, mais aussi pour tous les hommes de bonne volonté dans le cœur desquels la grâce agit de façon invisible. En effet, puisque le Christ est mort pour tous et que la vocation ultime de l'homme est réellement une, à savoir divine, nous devons tenir que l'Esprit Saint offre à tous, d'une façon connue de Dieu, la possibilité d'être associés au mystère pascal [33] ».

L'anthropologie du concile a un caractère clairement dynamique, elle parle de l'homme à la lumière
de sa vocation, elle parle de lui de façon existentielle.
La vision du mystère de l'homme qui s'est manifestée aux croyants au moyen de la Révélation chrétienne est proposée une nouvelle fois. « C'est donc
par le Christ et dans le Christ que s'éclaire l'énigme
de la douleur et de la mort qui, en dehors de son
Évangile, nous écrase. Le Christ est ressuscité, il a
détruit la mort par sa mort, et il nous a donné la vie
avec abondance, afin que, fils dans le Fils, nous
criions dans l'Esprit : Abba, Père. [34] » Une telle
esquisse du mystère central du christianisme répond
de la façon la plus directe aux défis de la pensée
contemporaine, qui a une orientation existentielle.
C'est une pensée qui renferme l'interrogation sur le
sens de l'existence humaine, et spécialement sur le
sens de la souffrance et de la mort. C'est bien dans
cette perspective que l'Évangile se révèle comme la
plus grande prophétie. Il s'agit de la prophétie sur
l'homme. En dehors de l'Évangile, l'homme demeure
une interrogation dramatique sans réponse suffisante. En effet, la réponse juste à l'interrogation sur
l'homme, c'est le Christ, le *Redemptor hominis*.

19

La mission de l'Église

En octobre 1978, Sainteté, vous avez quitté la Pologne, éprouvée par la guerre et par le communisme, pour venir à Rome assumer la mission de successeur de Pierre. Les expériences polonaises vous ont rapproché d'une nouvelle forme postconciliaire d'Église : une Église plus ouverte que par le passé aux problèmes des laïcs et du monde. Très Saint-Père, quelles sont les tâches les plus importantes pour l'Église dans le monde actuel ? Quelle devrait être l'attitude des hommes d'Église ?

Aujourd'hui l'Église a besoin d'effectuer un énorme travail. Elle a tout particulièrement besoin de l'apostolat des laïcs, dont parle le concile Vatican II. Une conscience missionnaire approfondie est absolument indispensable. L'Église en Europe et sur tous les continents doit se rendre compte qu'elle est, toujours et partout, une Église missionnaire (*in statu missionis*). La mission appartient tellement à sa nature que jamais et en aucun lieu, pas même dans les pays de solide tradition chrétienne, l'Église ne peut pas ne pas être missionnaire. Par la suite, le pape Paul VI, durant les quinze années de son pontificat, avec l'aide du synode des évêques, a promu cette conscience, renouvelée par le concile Vatican II. Par exemple, c'est de son cœur qu'est née l'exhortation apostolique *Evangelii nuntiandi*. Moi-même, dès les premières semaines de mon service, j'ai cherché à poursuivre sur cette route. Le premier document de mon pontificat, l'encyclique *Redemptor hominis*, en témoigne.

Dans cette mission, reçue du Christ, l'Église doit être infatigable. Elle doit être humble et courageuse, comme le Christ lui-même et comme ses apôtres. Si elle est contestée, si elle est accusée de diverses façons – par exemple, accusée de recourir à ce qu'on appelle le prosélytisme ou à la tentative de cléricaliser la vie sociale –, elle ne doit pas se décourager. Surtout, elle ne doit pas cesser d'annoncer l'Évangile. Saint Paul en était déjà conscient quand il écrivait à son disciple : « Proclame la Parole, interviens à temps et à contretemps, dénonce le mal, fais des reproches, encourage, mais avec une grande patience et avec le souci d'instruire » (2 Timothée 4, 2). D'où vient un tel impératif intérieur – à la force duquel d'autres paroles de Paul rendent aussi témoignage : « Malheur à moi si je n'annonçais pas l'Évangile » (1 Corinthiens 9, 16) ? C'est clair ! Il vient de la conscience qu'il n'a pas été donné sous le ciel d'autre nom que celui du Christ par lequel les hommes puissent être sauvés (cf. Actes 4, 12).

« Le Christ – oui, l'Église – non ! » protestent certains de nos contemporains. Malgré la contestation, c'est un programme dans lequel semblerait ressortir une certaine ouverture à l'égard du Christ, que les Lumières rejetaient. Mais cette ouverture n'est qu'apparente. En effet, si le Christ est vraiment accepté, il apporte avec lui l'Église, qui est son Corps mystique. Il n'y a pas de Christ sans Incarnation, il n'y a pas de Christ sans Église. L'Incarnation du Fils de Dieu dans une nature humaine a, par sa volonté, un prolongement dans la communauté des êtres humains qu'il a constituée, en l'assurant de sa présence constante : « Et moi, je suis avec vous tous les jours jusqu'à la fin du monde » (Matthieu 28, 20). Certes, en tant qu'institution humaine, l'Église a continuellement besoin de purification et de renouvellement : c'est ce que le concile Vatican II a reconnu avec une courageuse franchise [35]. Mais l'Église, comme Corps du Christ, est la condition normale de la présence et de l'action du Christ dans le monde.

On peut dire que les idées exposées ici expriment, directement ou indirectement, la ligne inspiratrice des initiatives mises en œuvre pour la célébration du deuxième millénaire de la naissance du Christ et pour la mise en route du troisième. J'en ai parlé dans les deux lettres apostoliques que j'ai adressées à l'Église, et d'une certaine manière à tous les hommes de bonne volonté, à l'occasion de cet événement. Aussi bien dans *Tertio millennio adveniente* que dans *Novo millennio ineunte* j'ai souligné comment le Grand Jubilé a été un fait qui a concerné, d'une manière jamais égalée auparavant, tout le genre humain. Le Christ appartient à l'histoire de l'humanité entière et donne forme à cette histoire. Il l'anime d'une manière qui lui est propre, comme le levain de l'Évangile. De toute éternité il existe un projet de transformation de l'homme et du monde pour les diviniser dans le Christ. Et cette transformation se réalise progressivement, même dans notre temps.

L'image de l'Église tracée par la constitution *Lumen gentium* exigeait en quelque sorte un complément. Jean XXIII lui-même l'a deviné avec perspicacité, lui qui, quelques semaines avant sa mort, décida que le concile travaillerait sur un document spécial concernant l'Église dans le monde de ce temps. Ce travail se montra extrêmement fécond. La constitution *Gaudium et spes* ouvrit l'Église à tout ce qui est contenu dans le concept de « monde ». On sait que dans la Sainte Écriture ce terme a une double signification. Lorsque, par exemple, on parle de « l'esprit de ce monde » (cf. 1 Corinthiens 2, 12), on se réfère à tout ce qui dans le monde détourne l'homme de Dieu : aujourd'hui nous pourrions le résumer dans le concept de sécularisation laïciste. Mais, dans la Sainte Écriture, cette signification négative du monde est compensée par une signification positive : le monde comme œuvre de Dieu, le monde comme ensemble des biens que le Créateur a donnés à l'homme, les lui confiant comme tâche à porter à son terme avec une hardiesse éclairée et responsable. Le monde, qui est comme le théâtre de l'histoire du genre humain, porte les signes de ses efforts, de ses défaites et de ses victoires. Corrompu par le péché de l'homme, il a cependant été libéré par le Christ crucifié et ressuscité, et il attend de pouvoir parvenir, grâce aussi à l'engagement humain, à son plein accomplissement [36]. Paraphrasant l'expression de saint Irénée, on pourrait dire : *Gloria Dei – mundus secundum amorem Dei ab homine excultus.* La Gloire de Dieu – c'est le monde perfectionné par l'homme selon l'amour de Dieu.

20

Relations de l'Église avec l'État

Les tâches missionnaires de l'Église ont été accomplies dans une certaine société et sur le territoire d'un État déterminé. Et vous, Très Saint-Père, comment voyez-vous les relations de l'Église avec l'État, dans la situation actuelle ?

Dans la constitution *Gaudium et spes* nous lisons : « La communauté politique et l'Église sont indépendantes l'une de l'autre et autonomes dans le domaine qui est le leur. Mais toutes les deux, bien qu'à des titres divers, sont au service de la vocation personnelle et sociale des mêmes hommes. Toutes deux exerceront ce service pour le bien de tous avec d'autant plus d'efficacité qu'elles pratiqueront davantage entre elles une saine collaboration, en tenant aussi compte des circonstances de temps et de lieu. En effet, l'homme n'est pas enfermé dans le seul ordre temporel, mais, vivant dans l'histoire humaine, il conserve intégralement sa vocation éternelle [37]. » La signification que le concile attribue au terme « séparation » de l'Église et de l'État est très loin de ce que les systèmes totalitaires veulent lui attribuer. Cela a sans doute constitué une surprise et aussi, en un sens, un défi pour de nombreux pays, spécialement pour ceux qui étaient gouvernés par des régimes communistes. Il est clair que ces régimes ne pouvaient pas rejeter cette position du concile, mais en même temps ils se rendaient compte qu'elle se heurtait à leur concept de séparation de l'Église et de l'État. Dans leur optique, en effet, le monde appartient exclusivement à l'État : l'Église a son domaine propre qui, pour ainsi dire, est au-delà des « frontières » du monde. La vision conciliaire de l'Église « dans » le monde rejette une telle interprétation. Pour l'Église, le monde est une tâche et un défi. Il l'est pour tous les chrétiens et, de façon particulière, pour les laïcs catholiques. Le concile a posé résolument la question de l'apostolat des laïcs, c'est-à-dire de la présence active des chrétiens dans la vie sociale. Mais justement, selon l'idéologie marxiste, ce domaine devait être du domaine exclusif de l'État et du parti.

Il n'est pas inutile de le rappeler, car aujourd'hui il y a des partis qui, en dépit du cadre démocratique assuré, ont de plus en plus tendance à interpréter les principes de la séparation de l'Église et de l'État selon la position qui était propre aux gouvernements communistes. Naturellement, maintenant, les sociétés disposent de moyens appropriés d'auto-défense. Elles doivent seulement avoir la volonté de les appliquer. Mais justement à ce sujet, une certaine passivité que l'on relève dans l'attitude des citoyens croyants devient préoccupante. On a l'impression qu'autrefois leur sensibilité concernant leurs droits dans le domaine religieux était plus vive et qu'en conséquence ils étaient plus prompts à les défendre par les moyens démocratiques à leur disposition. Aujourd'hui, tout cela apparaît en quelque manière atténué et même freiné, peut-être en partie en raison d'une préparation insuffisante des *élites* politiques.

Au XXe siècle, on a beaucoup fait pour que le monde cesse de croire et rejette le Christ. Vers la fin du siècle, et en même temps du millénaire, les forces destructrices se sont affaiblies, laissant toutefois derrière elles un grand champ dévasté. Il s'agit d'une dévastation des consciences, avec des conséquences ruineuses dans le domaine de la morale, tant personnelle que familiale, comme dans celui de l'éthique sociale. Les pasteurs d'âmes, qui chaque jour accompagnent la vie spirituelle de l'homme, le savent mieux que nous. Quand il m'arrive de parler avec eux, j'entends souvent des confidences bouleversantes. On pourrait malheureusement qualifier l'Europe, à cheval sur les deux millénaires, de continent des dévastations. Les programmes politiques, orientés avant tout vers le développement économique, ne suffisent pas à eux seuls à guérir de semblables plaies. Au contraire, ils peuvent même les augmenter. Ici s'ouvre un énorme champ pour la mission de l'Église. La moisson évangélique, telle qu'elle se présente dans le monde contemporain, est vraiment grande. Il faut seulement demander au Seigneur – et le demander avec insistance – d'envoyer des ouvriers pour cette moisson en attente de récolte.

21

L'Europe dans le contexte
des autres continents

*Peut-être, Très Saint-Père, pourrait-il être ins-
tructif de regarder vers l'Europe du point de vue de
son rapport avec les autres continents ? Sainteté, vous
avez participé aux travaux du concile et vous avez eu
beaucoup de rencontres avec des personnalités du
monde entier, spécialement au cours de vos nombreux pèlerinages apostoliques. Quelles impressions
avez-vous retirées de ces rencontres ?*

Je me réfère avant tout à l'expérience que j'ai eue
comme évêque aussi bien durant le concile que
dans ma collaboration ultérieure avec divers dicas-
tères de la Curie romaine. La participation aux
assemblées du synode des évêques fut pour moi
d'une importance particulière. Ces diverses rencontres me permirent de me faire une idée assez précise des rapports de l'Europe avec les pays extra-
européens, et surtout avec les Églises extra-européennes. Ces rapports se présentaient, à la lumière
des enseignements conciliaires, dans la perspective
de la *communio ecclesiarum*, une communion qui se
traduit par un échange de biens et de services, avec

pour résultat un enrichissement réciproque. L'Église catholique en Europe, spécialement en Europe occidentale, cohabite depuis des siècles avec les chrétiens de la Réforme ; en Orient, les orthodoxes prévalent. Le continent le plus catholique en dehors de l'Europe est l'Amérique latine. En Amérique du Nord, les catholiques constituent la majorité relative. La situation en Australie et en Océanie est à peu près semblable. Aux Philippines, l'Église rassemble la majorité de la population. Dans le continent asiatique, les catholiques se trouvent numériquement en minorité. L'Afrique est un continent missionnaire, où l'Église continue à faire des progrès importants. La plus grande partie des Églises extra-européennes sont nées grâce à des initiatives missionnaires, qui avaient l'Europe comme point de départ. Aujourd'hui ce sont des Églises avec une identité propre et avec une spécificité évidente. Historiquement, si aussi bien les Églises en Amérique du Sud ou en Amérique du Nord que les Églises en Afrique ou même en Asie peuvent se considérer comme une « émanation » de l'Europe, de fait elles constituent aujourd'hui, pour le Vieux Continent, une sorte de contrepoids spirituel, d'autant plus évident que se développe dans ce dernier un certain processus de déchristianisation.

Au cours du XXe siècle s'est créée une situation de concurrence entre les trois mondes. Le sens de cette dernière expression est connu : durant la domination communiste dans l'est de l'Europe, on commença à qualifier de Deuxième Monde celui qui était au-delà du rideau de fer, le monde « collectiviste », en l'opposant au Premier Monde, capitaliste, constitué par l'Occident. Tout ce qui se trouvait en dehors de cette sphère était appelé tiersmonde, ce qui désignait de façon particulière les pays en voie de développement.

Dans un monde aussi divisé, l'Église s'est vite rendue compte que cela exigeait de moduler de différentes manières la mission qui lui est propre, c'est-à-dire l'évangélisation. En ce qui concerne la justice sociale, aspect de l'évangélisation qui n'est pas secondaire, l'Église, dans son engagement pastoral envers les populations du monde capitaliste, a continué à favoriser le juste progrès, sans toutefois reculer devant le processus de déchristianisation enraciné dans les anciennes traditions illuministes. Par contre, dans sa relation avec le Deuxième Monde, le monde communiste, l'Église a ressenti l'urgence de se rallier avant tout à la défense des droits de l'homme et des droits des nations. Cela s'est produit non seulement en Pologne, mais aussi dans les pays voisins. Dans les pays du tiersmonde, l'Église, outre sa mission d'en christianiser les sociétés, s'est chargée de mettre en évidence l'injuste répartition des biens, en vigueur désormais non seulement entre les groupes sociaux particuliers, mais entre les zones du globe elles-mêmes. En effet, la différence entre le Nord riche, qui s'enrichissait toujours plus, et le Sud pauvre, qui même après la fin de la colonisation continuait à être exploité et pénalisé de bien des façons, devenait toujours plus évidente. Et la pauvreté du Sud au lieu de diminuer augmentait constamment. Force était de reconnaître en cela une conséquence du capitalisme incontrôlé qui, si d'un côté il servait à un nouvel enrichissement des riches, de l'autre contraignait les pauvres à des conditions de dégradation croissante.

Telle est la vision de l'Europe et du monde que j'ai retirée des contacts avec les évêques des autres continents durant les sessions conciliaires et à l'occasion des rencontres post-conciliaires. Après mon élection au Siège de Pierre, le 16 octobre 1978, aussi bien en résidant à Rome qu'en allant dans mes visites pastorales à la rencontre des diverses Églises dispersées dans le monde, j'ai pu confirmer et approfondir cette vision des choses, et c'est dans cette perspective que j'ai conduit mon ministère au service de l'évangélisation d'un monde déjà en grande partie pénétré de l'Évangile. Au cours de ces années, j'ai toujours cherché à avoir particulièrement soin des tâches qui se situent dans l'espace frontière entre l'Église et le monde contemporain. La constitution *Gaudium et spes* parle de « monde », mais on sait que, par ce terme, il faut entendre en réalité des mondes différents les uns des autres. C'est justement sur cette question que, déjà durant le concile, j'ai attiré l'attention des pères, prenant la parole comme métropolite de Cracovie.

Cinquième partie

La démocratie :
possibilités et risques

22

La démocratie contemporaine

La Révolution française a répandu dans le monde la devise « liberté, égalité, fraternité », comme programme de la démocratie moderne. Quel est, Très Saint-Père, votre appréciation du système démocratique dans sa version occidentale actuelle ?

Les réflexions développées jusqu'à présent nous ont rapprochés d'une question qui semble être particulièrement significative pour la civilisation européenne : c'est la question de la démocratie, comprise non seulement comme système politique, mais aussi comme attitude des mentalités et des coutumes. La démocratie s'enracine dans la tradition grecque, bien que dans l'Hellade antique elle n'ait pas eu la même signification qu'elle a prise dans les temps modernes. On connaît la distinction classique entre les trois formes possibles de régime politique : la monarchie, l'aristocratie et la démocratie. Chacun de ces systèmes offre une réponse propre à la question concernant le sujet originaire du pouvoir. Dans le système monarchique, ce sujet est un individu, qu'il soit roi, empereur ou prince souverain. Dans le système aristocratique le sujet est un groupe social, qui exerce le pouvoir sur la base de titres particuliers de mérite, par exemple, la valeur dans les batailles, le lignage, la richesse. Dans le système démocratique, par contre, la société entière est sujet du pouvoir, le « peuple », en grec *demos.* Il est évident qu'une gestion directe du pouvoir par tous n'étant pas possible, la forme démocratique de gouvernement passe par l'action des représentants du peuple, désignés par des élections libres.

Ces trois formes d'exercice du pouvoir se sont réalisées dans l'histoire des diverses sociétés, et continuent à l'être aujourd'hui encore, bien que la tendance contemporaine s'oriente nettement vers le système démocratique comme répondant mieux à la nature rationnelle et sociale de l'homme et, en définitive, aux exigences de la justice sociale. En effet, il est difficile de ne pas reconnaître que, si la société est composée d'hommes, et chaque homme est un être social, on doit attribuer à chacun une participation au pouvoir, même si elle est indirecte.

En regardant l'histoire polonaise, on peut observer le passage graduel de l'un à l'autre de ces trois systèmes politiques, et aussi leur compénétration progressive. Si l'État des Piast eut un caractère avant tout monarchique, dès le temps des Jagellon la monarchie devint toujours plus constitutionnelle et, quand la dynastie s'éteignit, le gouvernement, tout en restant monarchique, s'appuya sur une oligarchie constituée de la classe nobiliaire. Toutefois, comme la noblesse était relativement étendue, on dut recourir à une forme d'élection démocratique de ceux qui devaient représenter les nobles. Il en découla une sorte de démocratie nobiliaire. Ainsi donc la monarchie constitutionnelle et la démocratie nobiliaire cohabitèrent pendant plusieurs siècles dans le même État. Si dans les phases initiales cela constitua la force de l'État polonais-lituanien-ruthène, avec le temps et l'évolution des conditions, les insuffisances et les faiblesses de ce système se manifestèrent de façon croissante, finissant par conduire à la perte de l'indépendance.

Quand elle redevint à nouveau libre, la République polonaise se constitua en État à régime démocratique avec un président et un parlement composé de deux chambres. Après la chute de ce qu'on appelait la République populaire de Pologne en 1989, la Troisième République est revenue à un système analogue à celui qui existait avant la Seconde Guerre mondiale. Quant à la période de la Pologne populaire, il faut dire que, malgré le qualificatif de « démocratie populaire », le pouvoir était en réalité entre les mains du parti communiste (oligarchie de parti), et le premier secrétaire de ce parti était en même temps la première charge politique du pays.

Ce regard rétrospectif sur l'histoire des diverses formes de gouvernement nous permet de mieux comprendre aussi la valeur éthique et sociale des présupposés démocratiques d'un système. Alors que dans les systèmes monarchiques et oligarchiques (par exemple, dans la démocratie nobiliaire polonaise) une partie de la société (souvent la très grande majorité) est condamnée à un rôle passif ou subordonné, parce que le pouvoir est entre les mains d'une minorité, cela ne devrait pas arriver dans les régimes démocratiques. Est-ce que vraiment cela n'arrive pas ? Certaines situations que l'on rencontre en démocratie justifient la question. En tout cas, l'éthique sociale catholique appuie, en règle générale, la voie démocratique, parce que comme je l'ai déjà noté, elle répond davantage à la nature rationnelle et sociale de l'homme. Toutefois, on est loin – il est bon de le préciser – de « canoniser » ce système. En effet, il reste vrai que chacune des solutions envisageables – la monarchie, l'aristocratie et la démocratie – peut, à des conditions déterminées, contribuer à la réalisation de ce qui est le but essentiel du pouvoir, à savoir le bien commun. Le respect des normes éthiques fondamentales est en tout cas le présupposé indispensable à chacune des solutions. Déjà pour Aristote la politique n'est rien d'autre que l'éthique sociale. Cela signifie que si un système donné de gouvernement ne se corrompt pas, ce sera le fruit de l'exercice des vertus civiques. Diverses formes de dégénérescence des systèmes mentionnés précédemment ont déjà trouvé leurs caractéristiques dans la tradition grecque. Ainsi, dans le cas de dégénérescence de la monarchie on parle de tyrannie, et, pour les formes pathologiques de démocratie, Polybe a inventé le terme « ochlocratie », c'est-à-dire la domination de la plèbe.

Après le déclin des idéologies du XXᵉ siècle, et spécialement après la chute du communisme, les espérances des différentes nations se sont accrochées à la démocratie. Mais justement à ce propos il vaut la peine de se demander : que devrait être une démocratie ? On entend souvent répéter l'affirmation selon laquelle avec la démocratie se réalise le véritable État de droit. Dans ce système, la vie sociale est en effet réglée par la loi établie par les parlements qui exercent le pouvoir législatif. Dans ces assemblées s'élaborent les règles qui définissent le comportement des citoyens dans les divers domaines du vivre ensemble. Chaque secteur de la vie, c'est évident, aspire à une législation appropriée, qui en assure le développement ordonné. Un État de droit réalise de cette façon le postulat de toute démocratie : former une société de citoyens libres qui poursuivent ensemble le bien commun.

Cela dit, il peut cependant être utile de nous reporter encore une fois à l'histoire d'Israël. J'ai déjà parlé d'Abraham comme de l'homme qui eut foi dans la promesse de Dieu, qui en accueillit la parole avec confiance et qui devint ainsi le père de nombreuses nations. De ce point de vue, il est significatif qu'aussi bien les fils et les filles d'Israël que les chrétiens se réclament d'Abraham. Les musulmans se réfèrent aussi à lui. Il convient néanmoins de préciser immédiatement qu'à la base de l'État d'Israël, comme société organisée, il n'y a pas Abraham mais Moïse. C'est Moïse qui conduisit ses compatriotes hors de la terre d'Égypte, devenant, durant la marche dans le désert, un authentique artisan d'un État de droit dans le sens biblique du terme. C'est un sujet qui mérite d'être mis en évidence : Israël, en tant que peuple élu de Dieu, était une société théocratique, dont Moïse n'était pas seulement le chef charismatique, mais encore le prophète. Sa mission était d'établir au nom de Dieu les bases juridiques et religieuses de l'existence du peuple. L'événement qui eut lieu au pied du mont Sinaï fut un point clé dans l'œuvre de Moïse. C'est là que fut scellé le pacte d'alliance entre Dieu et le peuple d'Israël sur la base de la Loi donnée par Dieu à Moïse sur la montagne. La loi était essentiellement constituée par le Décalogue : les dix paroles, les dix principes de conduite, sans lesquels aucune communauté humaine, aucune nation ni même la société internationale ne peut se réaliser. Les commandements, gravés sur les deux tables que Moïse reçut sur le Sinaï, sont en effet imprimés aussi dans le cœur de l'homme. Saint Paul l'enseigne dans la Lettre aux Romains : « La façon d'agir ordonnée par la Loi est inscrite dans leur cœur, et leur conscience en témoigne » (2, 15). La loi divine du Décalogue a aussi une valeur obligatoire comme loi naturelle pour ceux qui n'acceptent pas la Révélation : ne pas tuer, ne pas commettre l'adultère, ne pas voler, ne pas porter de faux témoignage, honorer son père et sa mère… Chacune de ces paroles du code du Sinaï prend la défense d'un bien fondamental de la vie et du vivre ensemble humain. Si l'on met en doute cette loi, le vivre ensemble humain devient impossible, et l'existence morale même de l'homme est mise en péril. Moïse qui descend de la montagne en portant les tables des Commandements n'en est pas l'auteur. Il est plutôt le serviteur et le porte-parole de la Loi que Dieu lui a donnée sur le Sinaï. Sur la base de cette Loi, il formulera ensuite un code de conduite, plus détaillé, qu'il remettra aux fils et aux filles d'Israël dans le Pentateuque.

Le Christ a confirmé les commandements du Décalogue comme fondement de la morale chrétienne, en en présentant la synthèse dans les préceptes de l'amour de Dieu et du prochain. On connaît d'ailleurs le sens très large du terme « prochain » que le Christ présente dans l'Évangile. L'amour auquel le chrétien est appelé embrasse tous les hommes, y compris les ennemis. Au moment où j'écrivais l'essai *Amour et responsabilité*, le plus grand commandement de l'Évangile s'est présenté à moi comme une norme personnaliste. Justement parce que l'homme est un être personnel, il n'est possible de remplir ses devoirs envers lui qu'en l'aimant. De même que l'amour est le précepte suprême à l'égard du Dieu Personne, de même le devoir fondamental envers la personne humaine, créée à l'image et à la ressemblance de Dieu, ne peut être que l'amour.

Ce code moral provenant de Dieu, code ratifié dans l'Ancienne et dans la Nouvelle Alliance, est aussi la base intangible de toute législation humaine dans n'importe quel système, en particulier dans le système démocratique. La loi établie par l'homme, par les parlements et par toute autre instance législative humaine, ne peut être en contradiction avec la loi naturelle, c'est-à-dire, en définitive, avec la loi éternelle de Dieu. Saint Thomas donne la définition bien connue de la loi : « *Lex est quædam rationis ordinatio ad bonum commune, ab eo qui curam com-*

munitatis habet promulgata » — « La loi est une ordonnance de raison en vue du bien commun promulguée par celui qui a la charge de la communauté [38]. » En tant qu'« ordonnance de raison », la loi s'appuie sur la vérité de l'être : la vérité de Dieu, la vérité de l'homme, la vérité de la réalité créée elle-même dans son ensemble. Cette vérité est la base de la loi naturelle. Le législateur lui ajoute l'acte de promulgation. C'est ce qui a eu lieu sur le Sinaï pour la Loi de Dieu, c'est ce qui a lieu dans les parlements pour les diverses formes d'intervention législative.

Arrivés à ce point, nous touchons une question d'importance essentielle pour l'histoire de l'Europe au XXᵉ siècle. C'est un parlement régulièrement élu qui accepta d'appeler Hitler au pouvoir dans l'Allemagne des années 1930 ; ensuite c'est le *Reichstag* lui-même qui, en déléguant les pleins pouvoirs (*Ermächtigungsgesetz*) à Hitler, lui ouvrit la route pour sa politique d'invasion de l'Europe, pour l'organisation des camps de concentration et pour la mise en œuvre de ce qu'on appelle la « solution finale » de la question juive, c'est-à-dire l'élimination de millions de fils et de filles d'Israël. Il suffit de se rappeler ces quelques événements, qui nous sont proches dans le temps, pour voir clairement que la loi établie par l'homme a des limites précises, que l'on ne peut franchir. Ce sont les limites fixées par la loi naturelle, par laquelle c'est Dieu lui-même qui protège les biens fondamentaux de l'homme. Les crimes hitlériens ont eu leur Nuremberg, où les responsables ont été jugés et punis par la justice humaine. Nombreux sont toutefois les cas où une telle issue fait défaut, bien que le jugement suprême du Législateur divin demeure toujours. Un profond mystère entoure la manière dont la Justice et la Miséricorde se rencontrent en Dieu dans le jugement des hommes et de l'histoire de l'humanité.

C'est bien dans cette perspective, comme je l'ai déjà relevé, que l'on doit s'interroger, au début d'un nouveau siècle et d'un nouveau millénaire, à propos de certains choix législatifs effectués dans les parlements des régimes démocratiques actuels. On peut se référer plus immédiatement aux lois de l'avortement. Quand un parlement autorise l'interruption de grossesse, admettant la suppression de l'enfant à naître, il commet une grave violence à l'égard d'un être humain innocent et privé surtout de toute capacité d'autodéfense. Les parlements qui approuvent et promulguent de telles lois doivent être conscients qu'ils outrepassent leurs compétences et qu'ils se mettent en conflit manifeste avec la loi de Dieu et avec la loi naturelle.

23

Retour à l'Europe ?

La relation de la Pologne avec la nouvelle Europe est une question très actuelle. On peut se demander quelles traditions la lient à l'Europe occidentale contemporaine. Des problèmes peuvent-ils naître de sa récente insertion dans les organismes européens ? Et vous, Très Saint-Père, comment voyez-vous la place et le rôle de la Pologne dans l'Europe ?

Après la chute du communisme, diverses voix se sont élevées en Pologne pour soutenir la thèse de l'entrée nécessaire de la nation en Europe. Il y avait assurément des raisons motivées qui militaient en faveur d'une telle position. Sans aucun doute, en effet, le système totalitaire imposé par l'Est nous avait séparés de l'Europe. Ce qu'on appelle le « rideau de fer » en avait été le symbole éloquent. Cependant, selon d'autres points de vue, la thèse du « retour en Europe », même en rapport avec la dernière période de notre histoire, n'apparaissait pas du tout correcte. En effet, bien que politiquement séparés du reste du continent, les Polonais de cette époque n'avaient pas ménagé leurs efforts pour contribuer à la formation de la nouvelle Europe. Comment ne pas évoquer, à ce sujet, en 1939, la lutte héroïque contre l'agresseur nazi et ensuite, en 1944, l'insurrection qui vit Varsovie réagir à l'horreur de l'occupation ? Par la suite, le développement de Solidarność, qui conduisit à la chute du système totalitaire à l'Est – non seulement en Pologne, mais aussi dans les pays voisins, fut significatif. Il est donc difficile d'accepter sans plus de précisions la thèse selon laquelle la Pologne « devait retourner en Europe ». Car le pays était déjà en Europe, ayant activement participé à sa formation. J'ai parlé de cela en diverses occasions, d'une certaine manière en protestant contre le tort causé à la Pologne et aux Polonais par la thèse mal interprétée du « retour » en Europe.

C'est bien cette protestation qui me pousse à parcourir à nouveau l'histoire polonaise, pour me demander quel a été l'apport de cette nation à la formation de ce qu'on appelle « l'esprit européen ». C'est une contribution qui remonte des siècles en arrière jusqu'au « baptême de la Pologne », en particulier au congrès de Gniezno en l'an 1000. Recevant le baptême de la Bohême voisine, les premiers souverains de la Pologne des Piast se sont engagés à constituer en ce point de l'Europe une structure étatique, qui, malgré ses faiblesses historiques, démontra ensuite sa capacité de survivre et de devenir même un bastion contre les différentes pressions extérieures.

Nous Polonais, nous avons donc pris part à la formation de l'Europe : nous avons contribué au développement de l'histoire du continent, le défendant par les armes des pressions extérieures et lui apportant notre contribution spécifique sur le plan culturel. Il suffit de se rappeler, par exemple, la bataille de Legnica (1241), quand la Pologne arrêta l'invasion des Mongols en Europe [39]. Et que dire de toute la question de l'ordre Teutonique, qui trouva un écho au concile de Constance (1414-1418) [40] ? Mais l'apport de la Pologne ne fut pas seulement militaire. Sur le plan culturel, la Pologne apporta aussi sa contribution spécifique à la formation de l'Europe. Dans ce domaine, on souligne souvent les mérites de l'école de Salamanque, en particulier du dominicain espagnol Francisco de Vitoria (1492-1546), dans l'élaboration du droit international. C'est juste. Mais on ne peut pas oublier que déjà auparavant le Polonais Paweł Włodkowic (1370-1435) proclamait les mêmes principes comme fondement d'une vie commune ordonnée entre les peuples. Ne pas convertir par l'épée, mais par la persuasion – « *Plus ratio quam vis* » – est la règle d'or de l'université Jagellone, qui a eu tant de mérites dans la promotion de la culture européenne. Dans cette université, des chercheurs éminents exercèrent leurs activités, par exemple Mateusz de Cracovie (1330-1410) et Nicolas Copernic (1473-1543). Un autre élément mérite d'être souligné ici : dans la période où l'Europe occidentale s'enfonçait dans les guerres de religion à la suite de la Réforme, guerres auxquelles on cherchait de manière erronée à porter remède en adoptant le principe *Cuius regio eius religio*, le dernier des Jagellon, Sigismond Auguste, affirmait solennellement : « Je ne suis pas roi de vos consciences. » Et, de fait, en Pologne il n'y eut pas de guerres de religion. Il y avait plutôt une tendance aux ententes et aux unions : d'un côté, en politique, l'union avec la Lituanie et, de l'autre, dans la vie ecclésiale, l'union de Brest conclue vers la fin du XVIᵉ siècle entre l'Église catholique et les chrétiens de rite oriental. Bien qu'en Occident on sache peu de chose de tout cela, on ne peut pas ne pas reconnaître la contribution essentielle apportée ainsi à la formation de l'esprit chrétien de l'Europe. C'est bien pour ce motif que le XVIᵉ siècle est justement appelé le « siècle d'or » de la Pologne.

Le XVIIᵉ siècle, par contre, spécialement dans sa seconde moitié, révèle la présence de quelques signes de crise dans le domaine aussi bien politique – intérieur et international – que religieux. De ce point de vue, la défense de Jasna Góra en 1655 [41] n'a pas seulement les caractéristiques d'un miracle historique, mais elle peut aussi être interprétée comme un avertissement pour l'avenir, dans le sens où cela mit en garde contre le danger provenant aussi bien de l'Ouest, dominé par le principe *Cuius regio eius religio*, que de l'Est, où se consolidait toujours plus la toute-puissance des tsars. À la lumière de ces événements, on pourrait dire que, si les Polonais ont commis une faute par rapport à l'Europe et à l'esprit européen, elle consiste dans le fait d'avoir laissé périr le magnifique héritage des XVᵉ et XVIᵉ siècles.

Le XVIIIᵉ siècle fut un siècle de profonde décadence. Les Polonais permirent que le patrimoine des

Jagellon, de Stefan Báthory et de Jean III Sobieski, soit détruit. On ne peut oublier que, vers la fin du XVIIe siècle encore, c'est précisément Jean III Sobieski qui sauva l'Europe du danger ottoman à la bataille de Vienne (1683). C'est une victoire qui éloigna ce danger de l'Europe pour une longue période. En un sens, ce qui était arrivé au XIIIe siècle à l'occasion de la bataille de Legnica se répéta à Vienne. La faute dont les Polonais se rendirent coupables au XVIIIe siècle fut de ne pas avoir conservé cet héritage, dont le dernier défenseur fut le vainqueur de Vienne. On sait que la passation de la nation à la dynastie de Saxe eut lieu sous des pressions extérieures, spécialement de la part de la Russie, qui aspirait à la destruction non seulement de la république de Pologne, mais aussi des valeurs dont elle était l'expression. Au cours du XVIIIe siècle les Polonais ne surent pas freiner ce processus de désagrégation, ni se défendre de l'influence destructrice du *liberum veto* [42]. Les nobles ne surent pas restituer ses droits légitimes au tiers état et, avant tout, à la grande multitude des paysans, en les affranchissant de la servitude de la glèbe et en les rendant citoyens coresponsables de la République. Ce sont là les authentiques fautes de la société nobiliaire, et spécialement d'une bonne partie de l'aristocratie, des dignitaires de l'État et malheureusement aussi de certains dignitaires ecclésiastiques.

Dans ce grand examen de conscience à propos de notre contribution à l'Europe, il faut donc s'arrêter de manière particulière sur l'histoire du XVIIIe siècle. Cela nous permettra, d'une part, de nous rendre compte de l'ampleur du bilan des fautes et des négligences, mais nous poussera aussi, d'autre part, à prendre acte de tout ce qui, au XVIIIᵉ siècle, fut le commencement du renouveau. Comment ne pas rappeler, par exemple, la Commission pour l'Éducation nationale, les premières tentatives de résistance armée contre les envahisseurs et, surtout, la grande œuvre de la diète des Quatre Ans [43] ? Le poids des fautes et des négligences fut cependant plus grave et emporta la Pologne. Mais même dans sa chute, elle emporta comme une sorte de testament tout ce qui deviendrait ensuite le germe de la reconstruction de son indépendance et de sa contribution ultérieure à l'édification de l'Europe. Toutefois ce nouveau chapitre ne s'ouvrirait qu'avec la chute des systèmes du XIXᵉ siècle et de ce qu'on appelle la Sainte Alliance.

Avec le recouvrement de l'indépendance, en 1918, la Pologne put de nouveau participer activement à la formation de l'Europe. Grâce à quelques hommes politiques d'importance et à d'éminents économistes, il fut possible d'atteindre en peu de temps des résultats significatifs. À vrai dire, en Occident, spécialement en Grande-Bretagne, on regardait la Pologne comme suspecte. La nation, toutefois, en arriva d'année en année à se révéler un partenaire fiable de l'Europe de l'après-guerre. Un partenaire courageux aussi, comme on le vit clairement en 1939 : tandis que les démocraties occidentales s'imaginaient pouvoir obtenir quelque chose en traitant avec Hitler, la Pologne décida d'accepter la guerre, malgré la nette infériorité de ses forces militaires et technologiques. Les autorités polonaises jugèrent qu'à ce moment-là, cela était indispensable pour défendre l'avenir de l'Europe et de l'esprit européen.

Quand, le soir du 16 octobre 1978, je me présentai à la loggia de la basilique Saint-Pierre pour saluer les Romains et les pèlerins rassemblés sur la place en attendant l'issue du conclave, je déclarai que je venais « d'un pays lointain ». Au fond, la distance géographique n'était pas si grande. Les avions la franchissent en à peine deux heures de vol. En parlant de lointain, je voulais parler du rideau de fer, qui existait encore à ce moment-là. Le pape, qui venait d'au-delà du rideau de fer, venait en un sens particulièrement vrai de loin, même si en fait il venait du cœur même de l'Europe. Le centre géographique du continent se trouve en effet en territoire polonais.

Durant les années du rideau de fer, on en avait presque oublié l'Europe centrale. On appliquait de façon assez mécanique la division entre Ouest et Est, prenant Berlin, la capitale de l'Allemagne, comme ville symbole, appartenant en partie à l'Allemagne fédérale (RFA) et en partie à la République démocratique d'Allemagne (RDA). En réalité, cette division était tout à fait artificielle. Elle servait à des buts politiques et militaires. Elle établissait les frontières des deux blocs sans tenir compte de l'histoire des peuples. Pour les Polonais il était inacceptable d'être qualifiés de peuple de l'Est, ne serait-ce que du fait que les frontières de la nation, justement au cours de ces années, avaient été déplacées vers l'Ouest. Je suppose qu'il était également difficile d'accepter une semblable qualification pour les Tchèques, les Slovaques, les Hongrois, de même que pour les Lituaniens, les Lettons et les Estoniens.

De ce point de vue, appeler un pape de Pologne, de Cracovie, pouvait avoir la valeur d'un symbole éloquent. Ce n'était pas seulement l'appel d'un homme particulier, mais de toute l'Église à laquelle il était lié depuis sa naissance : indirectement, c'était aussi l'appel de la nation à laquelle il appartenait. Il me semble que le cardinal Stefan Wyszyński avait vu et formulé de manière particulièrement profonde cet aspect de l'événement. Personnellement j'ai toujours été convaincu que l'élection d'un pape polonais s'expliquait aussi par ce que le primat du millénaire, et avec lui l'épiscopat et l'Église en Pologne, avaient réussi à accomplir, malgré les limitations oppressives et les persécutions dont ils étaient l'objet au cours de ces années difficiles.

Jadis le Christ, envoyant ses apôtres jusqu'aux extrémités de la terre, leur dit : « Vous serez mes témoins » (Actes 1, 8). Tous les chrétiens sont appelés à être témoins du Christ. Les pasteurs de l'Église le sont de manière particulière. En élisant au Siège de Rome un cardinal de Pologne, le conclave faisait un choix engageant : c'était comme s'il voulait demander le témoignage de l'Église dont venait ce cardinal — et s'il le demandait pour le bien de l'Église universelle. En tout cas, ce choix revêtit une signification particulière pour l'Europe et pour le monde. C'était en effet une tradition vieille de près de cinq siècles que la responsabilité du Siège de Pierre soit assumée par un cardinal italien. L'élection d'un Polonais ne pouvait apparaître que comme un tournant. C'était la preuve que le conclave, suivant les indications du concile, avait cherché à lire les « signes des temps » et à mûrir ses décisions à leur lumière.

Dans ce contexte, on pourrait aussi réfléchir utilement à la contribution que l'Europe centrale et orientale est en mesure d'apporter aujourd'hui à la formation d'une Europe unie. J'ai parlé de cela en diverses occasions. La contribution la plus significative que les nations de cette aire géographique peuvent offrir me semble être la défense de son identité. Les nations de l'Europe centrale et orientale ont conservé leur identité et l'ont même consolidée, malgré toutes les transformations imposées par la dictature communiste. Pour elles, en effet, la lutte pour la conservation de l'identité nationale a été une lutte pour la survie. Aujourd'hui les deux parties de l'Europe – l'occidentale et l'orientale – se sont rapprochées. Le phénomène, en soi extrêmement positif, n'est pas exempt de risques. Le risque principal que court l'Europe de l'Est me semble être un obscurcissement de son identité. Dans la période de l'autodéfense contre le totalitarisme marxiste, cette partie de l'Europe a accompli un chemin de maturation spirituelle, grâce auquel certaines valeurs essentielles pour la vie humaine n'y ont pas été dépréciées comme en Occident. Là, par exemple, est encore vivante la conviction que Dieu est le Garant suprême de la dignité de l'homme et de ses droits. En quoi consiste donc le risque ? Il consiste en un fléchissement irrationnel sous l'influence des modèles culturels négatifs répandus en Occident. Pour l'Europe centrale et orientale à laquelle ces tendances peuvent apparaître comme une sorte de « promotion culturelle », cela constitue aujourd'hui l'un des défis les plus sérieux. Je pense que, justement de ce point de vue, une grande confrontation spirituelle est en cours ; de son résultat dépendra le visage de l'Europe qui est en cours de formation en ce commencement de millénaire.

En 1994, à Castel Gandolfo, se tint un symposium sur le thème de l'identité des sociétés européennes (*Identity in change*). La question autour de laquelle se développèrent les réflexions portait sur les changements introduits par les événements du XXᵉ siècle sur la façon de concevoir l'identité européenne et l'identité nationale elle-même dans le contexte de la civilisation moderne. Au commencement du symposium, Paul Ricœur parla de la mémoire et de l'oubli comme de deux forces importantes, en un sens opposées entre elles, qui agissent dans l'histoire de l'homme et des sociétés humaines. La mémoire est la faculté qui modèle l'identité des êtres humains au niveau tant personnel que collectif. C'est en effet par elle que se forme et se définit dans la *psyché* de la personne la perception de son identité. Parmi les nombreuses choses intéressantes que j'écoutai en cette circonstance, cela me toucha particulièrement. Le Christ connaissait la loi de la mémoire et il s'y référa au moment clé de sa mission. Alors qu'il instituait l'Eucharistie durant la dernière Cène, il dit : « Faites cela en mémoire de moi » (« *Hoc facite in meam commemorationem* »,

Luc 22, 19). La mémoire évoque des souvenirs. L'Église est donc, d'une certaine manière, la « mémoire vivante » du Christ : du mystère du Christ, de sa passion, de sa mort et de sa résurrection, de son Corps et de son Sang. Et cette « mémoire » s'accomplit par l'Eucharistie. Il s'ensuit qu'en célébrant l'Eucharistie, c'est-à-dire en faisant « mémoire » de leur Maître, les chrétiens découvrent continuellement leur identité. L'Eucharistie met en évidence quelque chose de plus profond et en même temps de plus universel – elle met en évidence la divinisation de l'homme et la nouvelle création dans le Christ. Elle parle de la rédemption du monde. Cette mémoire de la rédemption et de la divinisation de l'homme, aussi profonde et aussi universelle, est en même temps source de beaucoup d'autres dimensions de la mémoire, aussi bien au niveau personnel que communautaire. Elle permet à l'homme de se comprendre lui-même dans ses racines les plus profondes, et en même temps dans la perspective définitive de son humanité. Elle lui permet également de comprendre les diverses communautés dans lesquelles se forme son histoire : la famille, la descendance et la nation. Elle lui permet enfin de comprendre l'histoire de la langue et de la culture, l'histoire de tout ce qui est vrai, bon et beau.

24

La mémoire maternelle de l'Église

Au cours des dernières décennies, dans diverses parties du monde, il y a eu d'énormes changements et l'on parle beaucoup de la nécessité d'une adaptation de l'Église à la nouvelle réalité culturelle. Se présente donc aussi l'impérieuse question sur l'identité de l'Église. Et vous, Très Saint-Père, comment définiriez-vous les composantes de cette identité ?

Pour répondre à cette interrogation il est opportun de rappeler encore une autre dimension de la même question. En évoquant les événements de l'enfance de Jésus, saint Luc affirme : « Sa mère gardait dans son cœur tous ces événements » (Luc 2, 51). Il s'agit du souvenir des paroles et encore plus des événements concernant l'incarnation du Fils de Dieu. Marie conservait dans son cœur la mémoire du mystère de l'Annonciation, parce qu'il s'agissait du moment de la conception dans son sein du Verbe incarné (cf. Jean 1, 14). Elle conservait la mémoire des mois où le Verbe était caché dans son sein. Ensuite était venu le moment de la naissance du Seigneur avec tout ce qui avait accompagné cet événement. Marie se rappelait comment Jésus était né à Bethléem : comme il n'y avait pas de place à l'auberge, il avait dû venir au monde dans une étable (cf. Luc 2, 7). Sa naissance cependant avait eu lieu dans une atmosphère supraterrestre : les bergers des champs voisins étaient venus rendre hommage à l'enfant (cf. Luc 2, 15-17) ; ensuite les Mages d'Orient étaient venus, eux aussi, à Bethléem (cf. Matthieu 2, 1-12) ; puis, avec saint Joseph, Marie avait dû fuir en Égypte pour sauver son Fils de la cruauté d'Hérode (cf. Matthieu 2, 13-15). Tout cela demeurait fidèlement conservé dans la mémoire de Marie, et comme on peut justement le supposer, elle le transmit à Luc, qui lui était particulièrement proche. Elle le livra également à Jean, auquel Jésus l'avait confiée à l'heure de sa mort.

Il est vrai que Jean a résumé tous les événements de l'enfance en une phrase : « Et le Verbe s'est fait chair, il a habité parmi nous » (Jean 1, 14), encadrant par cette unique affirmation le magnifique Prologue de son Évangile. Mais il est vrai aussi que nous trouvons seulement chez Jean la description du premier miracle accompli par Jésus, à la demande de sa Mère (cf. Jean 2, 1-11). Et c'est encore Jean, et lui seul, qui nous a conservé les paroles par lesquelles Jésus, à l'heure de son agonie, lui confia précisément sa Mère (cf. Jean 19, 26-27). Tous ces événements, Marie les conservait évidemment gravés de façon indélébile dans sa mémoire. « Sa mère gardait dans son cœur tous ces événements » (Luc 2, 51).

La mémoire de Marie est une source d'importance unique pour connaître le Christ, une source incomparable. Marie n'est pas seulement témoin du mystère de l'Incarnation, à laquelle elle a offert sa collaboration consciente ; mais elle a aussi suivi pas à pas la révélation progressive du Fils qui grandissait à côté d'elle. Les événements sont connus des Évangiles. À douze ans Jésus laisse entrevoir à Marie la mission particulière qu'il a reçue du Père (cf. Luc 2, 49). Plus tard, quand il s'éloignera de Nazareth, sa Mère restera toujours de quelque façon reliée à Lui : c'est ce qui ressort du miracle de Cana de Galilée (cf. Jean 2, 1-11) et ailleurs (cf. Marc 3, 31-35 ; Matthieu 12, 46-50 ; Luc 8, 19-21). Marie sera, en particulier, témoin du mystère de la passion et de son achèvement sur le Calvaire (cf. Jean 19, 25-27). Même s'il n'en est pas fait mention dans les textes bibliques, on peut penser que c'est d'abord à elle qu'apparut le Ressuscité. En tout cas, Marie est présente à son Ascension au ciel, elle est avec les apôtres au Cénacle dans l'attente de la descente du Saint-Esprit et elle est témoin de la naissance de l'Église le jour de la Pentecôte.

Cette mémoire maternelle de Marie est particulièrement importante pour l'identité divine et humaine de l'Église. On peut dire que la mémoire même du nouveau Peuple de Dieu a puisé à la mémoire de Marie, revivant dans la Célébration eucharistique des événeménts et des enseignements du Christ appris aussi des lèvres de sa Mère. Du reste, la mémoire de l'Église est aussi une mémoire maternelle, parce qu'elle-même est mère, une mère qui se souvient. Dans une large mesure, l'Église garde ce qui était présent dans les souvenirs de Marie.

La mémoire de l'Église croît à mesure que l'Église grandit, ce qui se produit surtout grâce au témoignage des apôtres et à la souffrance des martyrs. C'est une mémoire qui se manifeste peu à peu dans l'histoire à partir des Actes des Apôtres, mais qui ne s'identifie pas totalement avec l'histoire. Elle est quelque chose de spécifique. En termes techniques, on la qualifie de Tradition. Ce mot fait référence à la fonction active du souvenir en train de se transmettre. En effet, qu'est-ce que la Tradition sinon l'engagement pris par l'Église de transmettre (en latin *tradere*) le mystère du Christ et l'ensemble de son enseignement qu'elle conserve dans sa mémoire ? C'est un engagement dans lequel l'Église est soutenue constamment par le Saint-Esprit. Au moment de partir, le Christ parle de l'Esprit Saint aux apôtres : « Il vous enseignera tout et il vous fera souvenir de tout ce que je vous ai dit » (Jean 14, 26). Donc, quand l'Église célèbre l'Eucharistie, qui est le « mémorial » du Seigneur, elle le fait soutenue par l'Esprit Saint, qui de jour en jour réveille et oriente sa mémoire. À cette œuvre de l'Esprit, aussi étonnante que mystérieuse, l'Église doit, de génération en génération, son identité essentielle. Et cela dure désormais depuis deux mille ans.

La mémoire de cette identité fondamentale, dont le Christ a doté son Église, se montre plus forte que toutes les divisions introduites par les hommes dans cet héritage. Au commencement du troisième millénaire, les chrétiens, pourtant divisés entre eux, sont conscients que c'est l'unité et non la division qui est au plus profond de l'essence de l'Église. Et ils en sont conscients avant tout en vertu des paroles de l'institution de l'Eucharistie : « Faites cela en mémoire de moi » (Luc 22, 19). Ce sont des paroles univoques : des paroles qui n'admettent ni divisions ni scissions.

Cette unité de la mémoire, qui accompagne l'Église à travers les générations tout au long de l'histoire, s'exprime de manière particulière dans la mémoire de Marie. S'il en est ainsi, c'est aussi parce que Marie est une femme. À bien y regarder, la mémoire appartient au mystère de la femme plus qu'à celui de l'homme. C'est vrai dans l'histoire des familles, dans l'histoire des descendances et des nations, et il en va de même dans l'histoire de l'Église. Beaucoup d'éléments expliquent le culte marial dans l'Église, la présence de nombreux sanctuaires dédiés à Marie dans les diverses régions de la terre. À ce sujet, le concile Vatican II s'est exprimé ainsi : Marie « est le type de l'Église dans l'ordre de la foi, de la charité et de la parfaite union au Christ. En effet, dans le mystère de l'Église qui, elle aussi, est à juste titre appelée mère et vierge, la bienheureuse Vierge Marie ouvre la marche, offrant d'une façon éminente et singulière le modèle de la Vierge et de la Mère [44] ». Marie ouvre la marche parce qu'elle est la mémoire la plus fidèle, ou mieux, parce que sa mémoire est le plus fidèle reflet du mystère de Dieu, transmis en elle à l'Église et, par l'Église, à l'humanité.

Il ne s'agit pas seulement du mystère du Christ. En Lui c'est le mystère de l'homme qui se révèle dès le commencement. Il n'y a probablement pas d'autre texte sur les origines de l'homme qui soit aussi simple et en même temps aussi complet que celui que nous trouvons dans les trois premiers chapitres du livre de la Genèse. On n'y décrit pas seulement la création de l'être humain comme homme et femme (cf. Genèse 1, 27), mais la question de sa vocation particulière dans le cosmos y est posée de manière très claire. On y laisse en outre entrevoir, de façon très synthétique mais assez transparente, aussi bien la vérité sur l'état originel de l'homme, état d'innocence et de bonheur, que le scénario bien différent du péché et de ses conséquences – ce que la théologie scolastique qualifie de *status naturæ lapsæ* (état de nature déchue) –, et que l'initiative divine immédiate en vue de la rédemption (cf. Genèse 3, 15).

L'Église conserve en elle la mémoire de l'histoire de l'homme dès le commencement : la mémoire de sa création, de sa vocation, de son élévation et de sa chute. Dans ce cadre essentiel s'inscrit toute l'histoire de l'homme, qui est une histoire de rédemption. L'Église est une mère qui, à la ressemblance de Marie, garde dans son cœur l'histoire de ses enfants, faisant siens tous les problèmes qui leur sont naturels.

De cette vérité on a eu clairement l'écho dans le Grand Jubilé de l'an 2000. L'Église l'a vécu comme jubilé de la naissance de Jésus-Christ, mais en même temps comme jubilé des origines de l'homme, de l'apparition de l'homme dans le cosmos, de son élévation et de sa vocation. Il est dit avec justesse dans la constitution *Gaudium et spes* que le mystère de l'homme ne se dévoile pleinement que dans le Christ : « En réalité, le mystère de l'homme ne s'éclaire vraiment que dans le mystère du Verbe incarné. En effet, Adam, le premier homme, était la figure de l'homme à venir, c'est-à-dire du Christ Seigneur. Nouvel Adam, le Christ, dans la révélation même du mystère du Père et de son amour, manifeste pleinement l'homme à lui-même et lui dévoile sa plus haute vocation [45]. » Sur ce sujet, saint Paul s'était exprimé ainsi : « Le premier Adam était un être humain qui avait reçu la vie : le dernier Adam – le Christ – est devenu l'être spirituel qui donne la vie. Ce qui est apparu d'abord, ce n'est pas l'être spirituel, c'est l'être humain, et ensuite seulement le spirituel. Pétri de terre, le premier homme vient de la terre : le deuxième homme, lui, vient du ciel. Puisque Adam est pétri de terre, comme lui les hommes appartiennent à la terre : puisque le Christ est venu du ciel, comme lui les hommes appartiennent au ciel. Et de même que nous sommes à l'image de celui qui est pétri de terre, de même nous serons à l'image de celui qui vient du ciel » (1 Corinthiens 15, 45-49).

Telle a été la signification essentielle du Grand Jubilé. La date de l'an 2000 a été un événement important non seulement pour le christianisme mais aussi pour la famille humaine tout entière. L'interrogation sur l'homme, qui se pose continuellement, trouve sa pleine réponse en Jésus-Christ. On peut dire que le Grand Jubilé de l'an 2000 a été à la fois le jubilé de la naissance du Christ et de la réponse à la question sur la signification et sur le sens du fait d'être des hommes. Et cela est lié à la dimension de la mémoire. La mémoire de Marie et celle de l'Église servent, une fois encore, à faire retrouver à l'homme sa propre identité à cheval sur des millénaires.

25

La dimension verticale
de l'histoire de l'Europe

Nous sommes ainsi arrivés à la question cruciale de l'homme et de sa destinée : comment faut-il concevoir le sens le plus profond de l'histoire ? Une interprétation qui, en s'interrogeant sur l'histoire, reste à l'intérieur des limites du temps et de l'espace est-elle suffisante ?

Il est clair que l'histoire de l'homme se développe dans l'espace et dans le temps selon une dimension horizontale. Cependant, elle est aussi traversée par une dimension verticale. De fait, ce ne sont pas seulement les hommes qui écrivent l'histoire. Dieu l'écrit aussi avec eux. De cette dimension de l'histoire, que l'on pourrait qualifier de transcendante, les Lumières se sont résolument éloignées. L'Église, par contre, y revient continuellement : le concile Vatican II a été aussi un témoignage clair en ce sens.

Comment Dieu écrit-il l'histoire des hommes ? La réponse nous est offerte par la Bible, à commencer par les premiers chapitres du livre de la Genèse et jusqu'aux dernières pages de l'Apocalypse. Dès le début de l'histoire de l'homme, Dieu se révèle comme le Dieu de la promesse. Tel est le Dieu d'Abraham, le grand patriarche dont saint Paul dit que, « espérant contre toute espérance, il a cru » (Romains 4, 18) : il a accueilli sans douter la promesse de Dieu faisant de lui le père d'une grande nation. Une promesse apparemment irréalisable : en effet, il était un vieil homme, et sa femme Sara était âgée elle aussi. Du point de vue humain, les espérances d'un descendant semblaient inexistantes (cf. Genèse 18, 11-14). Toutefois ce fils vient au monde. La promesse que Dieu avait faite à Abraham se réalise (cf. Genèse 21, 1-7). L'enfant engendré dans la vieillesse reçoit le nom d'Isaac et de lui naît la descendance d'Abraham, qui grandit progressivement jusqu'à devenir une nation. Israël est la nation élue de Dieu, à laquelle il confie la promesse messianique. Toute l'histoire d'Israël se développe comme temps de l'attente de la réalisation de cette promesse de Dieu.

La promesse a un but précis : la « bénédiction » de Dieu pour Abraham et pour sa descendance. Ce sont les paroles par lesquelles s'ouvre le dialogue de Dieu avec lui : « Je ferai de toi une grande nation, je te bénirai, je rendrai grand ton nom et tu deviendras une bénédiction : […] en toi seront bénies toutes les familles de la terre » (Genèse 12, 2-3). Pour comprendre la portée salvifique de cette promesse, il faut remonter aux premiers chapitres du livre de la Genèse, en particulier au chapitre 3, où est rapporté l'entretien de Yahvé avec ceux qui furent les protagonistes de la chute originelle. Dieu demande compte de ce qu'ils ont fait, d'abord à l'homme et ensuite à la femme. Et quand l'homme accuse son épouse, celle-ci désigne à son tour le tentateur (cf. Genèse 3, 11-13). De fait, l'instigation à transgresser l'ordre de Dieu était partie de lui (cf. Genèse 3, 1-5). Toutefois, il est intéressant de relever que, dans la malédiction adressée par Dieu au serpent, était déjà présente la promesse du futur dessein de salut. Dieu maudit l'esprit mauvais, instigateur du péché originel des premiers êtres humains, mais en même temps il prononce des paroles qui contiennent la première promesse messianique. En effet, il dit au serpent : « Je mettrai une hostilité entre la femme et toi, entre sa descendance et ta descendance : sa descendance te meurtrira la tête, et toi, tu lui meurtriras le talon » (Genèse 3, 15). C'est un schéma synthétique, dans lequel cependant tout est dit. La promesse du salut est intégralement contenue ici et il est déjà possible d'entrevoir toute l'histoire de l'humanité, jusqu'à l'Apocalypse : la femme annoncée dans le Protévangile apparaît dans les pages de l'Apocalypse revêtue de soleil et couronnée de douze étoiles, tandis que s'avance contre elle l'antique dragon, qui veut dévorer sa descendance (cf. Apocalypse 12, 1-6).

Ensuite, jusqu'à la fin des temps durera la lutte entre le bien et le mal, entre le péché, que l'humanité a hérité de ses premiers parents, et la Grâce salvatrice apportée par le Christ, Fils de Marie. Il est la réalisation de la promesse faite à Abraham et héritée d'Israël. Avec sa venue, commencent les derniers temps, ceux de l'accomplissement eschatologique.

Dieu, qui avait tenu la parole donnée à Abraham en concluant une Alliance avec Israël par l'intermédiaire de Moïse, a ouvert dans le Christ son Fils, devant toute l'humanité, la perspective de la vie éternelle au-delà du terme de son histoire sur la terre. C'est la destinée extraordinaire de l'homme : appelé à la dignité de fils adoptif de Dieu, il accueille cette vocation dans la foi et il s'engage dans l'édification du Règne, où l'histoire du genre humain sur la terre trouvera son point d'arrivée définitif.

À ce sujet, me reviennent à l'esprit quelques vers que j'ai écrits il y a des années, parlant de l'homme avec l'Homme, le Verbe de Dieu incarné, le seul en qui l'histoire prend tout son sens. Je disais :

> *Je t'appelle et te cherche, Toi*
> *en qui l'histoire des hommes peut trouver son Corps.*
> *Je vais vers Toi et ne dis pas : « viens »*
> *mais simplement : « Sois. »*
>
> *Sois là où rien n'est inscrit dans les choses*
> *mais où autrefois il y eut l'homme,*
> *où il fut âme, cœur, désir, douleur, vouloir,*
> *consumé d'amour et brûlant de honte sacrée.*
> *Sois l'éternel sismographe de l'invisible Réel.*
> *Ô Homme, en qui l'abîme en nous rejoint la cime,*
> *en qui l'intime n'est point fardeau ni ténèbres*
> *mais seulement cœur.*
>
> *Homme, en qui tout homme peut trouver le dessein de*
>   *son être le plus profond*
> *et les racines de ses actes : miroir de vie et mort,*
> *solidement enraciné face au flux humain.*
>
> *Homme, toujours à toi je parviens, passant à gué*
> *le faible fleuve de l'histoire,*

allant à la rencontre de chaque cœur, de chaque pensée
(histoire – tassement de pensées, mort des cœurs).
je cherche ton Corps dans toute l'histoire.
Je cherche Ta profondeur [46].

Voici donc la réponse à la question cruciale : le sens le plus profond de l'histoire va au-delà de l'histoire et trouve sa pleine explication dans le Christ, Dieu-Homme. L'espérance chrétienne se projette au-delà des limites du temps. Le Règne de Dieu se greffe et se développe dans l'histoire de l'homme, mais son but est la vie future. L'humanité est appelée à avancer au-delà des frontières de la mort et même au-delà de la succession des siècles, vers le port définitif de l'éternité, auprès du Christ glorieux, dans la communion trinitaire. « Leur espérance est remplie d'immortalité » (Sagesse 3, 4).

Épilogue

La dernière conversation s'est déroulée dans la petite salle à manger du palais pontifical à Castel Gandolfo. Le secrétaire du Saint-Père, Mgr Stanisław Dziwisz, y a aussi pris part.

26

« Quelqu'un avait guidé
ce projectile… »

Le 13 mai 1981, comment se sont vraiment pas-
sées les choses ? L'attentat et les événements qui l'ont
accompagné n'ont-ils pas dévoilé quelque vérité peut-
être oubliée sur la papauté ? Très Saint-Père, n'est-il
pas possible d'y lire un message particulier sur votre
mission personnelle ? Vous êtes allé trouver l'auteur
de l'attentat dans sa prison et vous l'avez rencontré
face à face. Comment voyez-vous aujourd'hui, après
tant d'années, les événements de ces jours-là ? Quelle
signification l'attentat et les événements qui lui sont
liés ont-ils acquis dans votre vie ?

JEAN-PAUL II – Tout cela fut un témoignage de
la grâce divine. Je vois ici une certaine analogie
avec l'épreuve à laquelle fut soumis le cardinal
Wyszyński durant sa détention. Toutefois, l'expérience du primat de Pologne dura plus de trois ans,
alors que la mienne a duré seulement une période
plutôt brève, quelques mois. Agça savait comment
tirer, et il tira certainement pour atteindre. Seulement, ce fut comme si « quelqu'un » avait guidé et
dévié le projectile…

STANISŁAW DZIWISZ – Agça a tiré pour tuer. Ce coup aurait dû être mortel. La balle a traversé le corps du Saint-Père, le blessant au ventre, au coude droit et à l'index. Puis le projectile tomba entre le pape et moi. J'entendis encore deux coups, deux personnes qui se tenaient près de nous furent blessées.

Je demandai au Saint-Père : « Où ? » Il répondit : « Au ventre. – Ça fait mal ? – Ça fait mal. »

Il n'y avait aucun médecin à proximité. Nous n'avons pas eu le temps de penser. Nous avons transporté immédiatement le Saint-Père dans l'ambulance et à très grande vitesse nous nous sommes rendus à la polyclinique Gemelli. Le Saint-Père priait à voix basse. Puis, déjà durant le parcours, il perdit connaissance.

Divers éléments décidèrent de la vie ou de la mort. Prenons la question du temps, le temps pour rejoindre l'hôpital : quelques minutes de plus, un petit obstacle en cours de route – et c'était trop tard. En tout cela la main de Dieu est visible. Tout l'indique.

JEAN-PAUL II – Oui, je me rappelle ce transfert vers l'hôpital. Pendant quelque temps je suis resté conscient. J'avais l'impression que je m'en tirerais. Je souffrais, et c'était un motif de crainte – mais je nourrissais une étrange confiance.

J'ai dit à don Stanisław que je pardonnais à l'auteur de l'attentat. Ce qui se passa à l'hôpital, je ne m'en souviens plus.

STANISŁAW DZIWISZ – Presque immédiatement après l'arrivée à la polyclinique, le Saint-Père fut emmené en salle d'opération. La situation était très sérieuse. L'organisme du Saint-Père avait perdu beaucoup de sang. La pression sanguine baissait de manière dramatique, on entendait à peine les battements du cœur. Les médecins me suggérèrent de lui administrer l'onction des malades. Je le fis rapidement.

JEAN-PAUL II – Pratiquement j'étais désormais de l'autre côté.

STANISŁAW DZIWISZ – Ensuite on fit une transfusion sanguine.

JEAN-PAUL II – Les complications ultérieures et le prolongement de tout le processus de soins ont été, du reste, la conséquence de cette transfusion.

STANISŁAW DZIWISZ – L'organisme rejeta la première transfusion. Toutefois on trouva des médecins de l'hôpital pour donner leur sang au Saint-Père. Cette deuxième transfusion se passa bien. Les médecins firent l'opération sans croire que le patient survivrait. Ils ne s'occupèrent pas du tout, et c'était compréhensible, du doigt traversé par le projectile. « S'il survit, on fera quelque chose par la suite pour ce problème », me dirent-ils. En réalité, la blessure au doigt se cicatrisa ensuite toute seule, sans aucun soin particulier.

Après l'intervention, le Saint-Père fut transféré en salle de réanimation. Les médecins craignaient une infection qui, dans cette situation, aurait pu avoir une issue fatale. Certains organes internes du Saint-Père étaient endommagés. L'opération avait été très délicate et complexe. En réalité, tout se cicatrisa parfaitement, sans aucune complication, alors qu'après des interventions aussi complexes, on le sait, les complications ne sont pas rares.

JEAN-PAUL II – À Rome, le pape mourant, en Pologne, le deuil... Dans ma Cracovie, les universitaires organisèrent une manifestation : la « marche blanche » [47]. Quand je suis allé en Pologne, j'ai dit : « Je suis venu vous remercier de la "marche blanche". » Je suis aussi allé à Fatima, pour remercier la Vierge.

Ô mon Dieu ! Ce fut une dure expérience. Je me réveillai seulement le lendemain, vers midi. Et je dis à don Stanisław : « Hier je n'ai pas récité les complies. »

STANISŁAW DZIWISZ – Pour être précis, Très Saint-Père, vous m'avez demandé : « Ai-je récité les complies ? » Il pensait en effet que nous étions encore le jour précédent.

JEAN-PAUL II – Je ne me rendais absolument pas compte de ce que don Stanisław savait. On ne m'avait pas dit à quel point la situation était grave. En outre, pendant un bon bout de temps, je restai simplement sans connaissance.

Au réveil mon moral n'était pas tellement bas. Du moins au début.

STANISŁAW DZIWISZ – Les trois jours suivants furent terribles. Le Saint-Père souffrait beaucoup. Il avait des drainages de toutes parts et des coupures partout. Néanmoins, la convalescence progressa très rapidement. Au début du mois de juin, le Saint-Père rentra chez lui. Il ne lui fut pas même imposé d'observer un régime particulier.

JEAN-PAUL II – Comme on le voit, j'ai un organisme plutôt fort.

STANISŁAW DZIWISZ – C'est seulement plus tard que l'organisme fut attaqué par un dangereux virus, et cela fut la conséquence de la première transfusion ou bien de l'affaiblissement général. On avait administré au Saint-Père une énorme quantité d'antibiotiques pour le protéger contre l'infection. Cela a réduit sensiblement ses défenses immunitaires. Et c'est ainsi que se développa une autre maladie. Le Saint-Père fut de nouveau transféré à l'hôpital.

Grâce aux soins médicaux intensifs, son état de santé s'améliora à un point tel que les médecins décidèrent que l'on pouvait procéder à une nouvelle intervention pour compléter les opérations chirurgicales faites le jour de l'attentat. Le Saint-Père choisit comme date le 5 août, jour de Notre-Dame de la Neige, qui, dans le calendrier liturgique, correspond à la dédicace de la basilique de Sainte-Marie-Majeure.

Cette deuxième phase de soins fut surmontée elle aussi. Le 13 août, trois mois après l'attentat, les médecins publièrent un communiqué qui faisait part de la conclusion des soins hospitaliers. Le patient put retourner définitivement chez lui.

Cinq mois après l'attentat, le Saint-Père retourna place Saint-Pierre pour rencontrer de nouveau les fidèles. Il ne montra pas une ombre de peur, ni aucun stress, bien que les médecins l'aient averti que cela pouvait lui arriver. Il dit alors : « De nouveau, je suis devenu débiteur à l'égard de la Sainte Vierge et de tous les saints patrons. Comment pourrais-je oublier que l'événement de la place Saint-Pierre a eu lieu au jour et à l'heure où, depuis plus de soixante ans, on rappelle à Fatima, au Portugal, la première apparition de la Mère du Christ à de pauvres jeunes paysans ? Dans tout ce qui m'est arrivé ce jour-là, j'ai en effet ressenti une protection, une attention maternelle extraordinaire. Elle s'est montrée plus forte que le projectile meurtrier. »

JEAN-PAUL II – Au cours du temps de Noël 1983, j'ai rendu visite à l'auteur de l'attentat dans sa prison. Nous avons parlé longuement. Alì Agça, comme tout le monde le dit, est un assassin professionnel. Cela veut dire que l'attentat n'était pas dû à son initiative, que c'est quelqu'un d'autre qui l'a fomenté, que quelqu'un d'autre le lui avait commandité. Durant tout l'entretien il parut clair qu'Alì Agça continuait à se demander pourquoi l'attentat n'avait pas réussi. Il avait fait tout ce qu'il fallait, prenant soin du moindre détail. Et pourtant la victime désignée avait échappé à la mort. Comment cela pouvait-il être arrivé ?

Ce qui est intéressant, c'est que cette inquiétude l'avait conduit au problème religieux. Il se demandait ce qu'il en était du secret de Fatima, en quoi consistait ce secret. Ce fut le point principal de son intérêt : c'était cela qu'il voulait savoir avant tout.

Peut-être que, par ces demandes insistantes, il manifestait qu'il avait perçu quelque chose de vraiment important. Probablement, Alì Agça avait compris par intuition qu'au-dessus de son pouvoir, au-delà du pouvoir de tirer et de tuer, il y avait une puissance plus haute. Et alors il avait commencé à la chercher. Mon souhait est qu'il l'ait trouvée.

STANISŁAW DZIWISZ – Je qualifierais comme un don du Ciel le retour miraculeux du Saint-Père à la vie et à la santé. Dans sa dimension humaine, l'attentat demeure un mystère. Le procès ne l'a pas clarifié, pas plus que la longue incarcération de l'auteur de l'attentat. J'ai été témoin de la visite du Saint-Père à Alì Agça en prison. Le pape lui avait déjà pardonné publiquement dans son premier discours après l'attentat. De la part du prisonnier, je n'ai pas entendu ces mots : « Je demande pardon. » Seul le secret de Fatima l'intéressait. Le Saint-Père a reçu plusieurs fois la mère et les proches de l'auteur de l'attentat, et souvent il demandait de ses nouvelles aux aumôniers de l'établissement pénitentiaire.

Dans sa dimension divine, le mystère est constitué par tout le déroulement du dramatique événement, qui a affaibli la santé et les forces du Saint-Père, mais n'a nullement freiné l'efficacité et la fécondité de son ministère apostolique dans l'Église et dans le monde.

Je pense qu'il n'est pas exagéré d'appliquer dans ce cas le dicton : *Sanguis martyrum semen christianorum* [48]. On avait peut-être besoin de ce sang place Saint-Pierre, sur le lieu du martyre des premiers chrétiens.

Le premier fruit de ce sang fut sans aucun doute l'union de toute l'Église dans la grande prière pour sauver le pape. Tout au long de la nuit qui suivit l'attentat, les pèlerins venus pour l'Audience générale et une multitude toujours grandissante de

Romains prièrent place Saint-Pierre. Au cours des jours suivants, dans les cathédrales, dans les églises et dans les chapelles du monde furent célébrées des messes et on offrit des prières à l'intention du pape. Lui-même disait à ce sujet : « Il m'est difficile de penser à tout cela sans émotion. Sans une profonde gratitude envers tous, envers tous ceux qui, le 13 mai, se sont réunis pour prier, envers tous ceux qui ont continué à prier durant toute cette période. [...] Je suis reconnaissant au Christ Seigneur et à l'Esprit Saint qui, par l'événement qui a eu lieu sur la place Saint-Pierre le 13 mai à 17 h 17, ont inspiré à tant de cœurs une prière commune. En pensant à cette grande prière, je ne puis oublier les paroles des Actes des apôtres qui se rapportent à Pierre : "L'Église priait pour lui devant Dieu avec insistance [49]" (Actes 12, 5). »

JEAN-PAUL II – Je vis constamment en ayant conscience que dans tout ce que je dis et fais pour accomplir ma vocation, ma mission et mon ministère, il se produit quelque chose qui n'est pas exclusivement de mon initiative. Je sais que ce n'est pas moi seul qui agis dans ce que j'accomplis comme successeur de Pierre.

Prenons l'exemple du système communiste. Comme je l'ai déjà dit précédemment, sa doctrine économique déficiente a certainement contribué à sa chute. Mais s'en remettre uniquement aux facteurs économiques serait une simplification plutôt naïve. D'autre part, je sais bien qu'il serait ridicule de croire que c'est le pape qui a abattu le communisme de ses propres mains.

Je pense que l'explication se trouve dans l'Évangile. Quand les premiers disciples, envoyés en mission, reviennent près de leur Maître, ils disent : « Seigneur, même les esprits mauvais nous sont soumis en ton nom » (Luc 10, 17). Le Christ leur répond : « Cependant, ne vous réjouissez pas parce que les esprits vous sont soumis : mais réjouissez-vous parce que vos noms sont inscrits dans les cieux » (Luc 10, 20). Et en une autre occasion il ajoute : « Dites-vous : nous sommes des serviteurs inutiles : nous n'avons fait que notre devoir » (Luc 17, 10).

Serviteurs inutiles... La conscience du « serviteur inutile » ne cesse d'augmenter en moi au milieu de tout ce qui arrive autour de moi – et je crois que c'est une bonne attitude.

Revenons à l'attentat, je pense qu'il a été l'une des dernières convulsions des idéologies de puissance qui se sont déchaînées au XXᵉ siècle. L'oppression fut pratiquée par le fascisme et le nazisme, de même que par le communisme. L'oppression motivée par des arguments semblables s'est développée ici aussi en Italie : les Brigades rouges tuaient des hommes innocents et honnêtes.

Relisant aujourd'hui, après quelques années, la transcription de la conversation d'alors, je remarque que les manifestations de violence des « années de plomb » se sont notablement atténuées. Toutefois, dans la période actuelle, ce qu'on appelle les « réseaux de la terreur », qui constituent une menace constante pour la vie de millions d'innocents, se sont étendus dans le monde. On en a eu une impressionnante confirmation dans la destruction à New York des tours jumelles le 11 septembre 2001, dans l'attentat à la gare d'Atocha à Madrid en mars 2004 et dans le récent massacre de Beslan en Ossétie (1-3 septembre 2004). Où nous conduiront ces nouvelles éruptions de violence ?

La chute du nazisme d'abord, puis de l'Union soviétique, a été le constat d'un échec. Elle a montré toute l'absurdité de la violence sur une grande échelle telle qu'elle avait été théorisée et pratiquée dans ces systèmes. Les hommes accepteront-il de tenir compte des dramatiques leçons que l'histoire leur a offertes ? Ou, au contraire, se laisseront-ils tenter par les passions qui se développent dans l'âme, accueillant encore une fois les suggestions néfastes de la violence ?

Le croyant sait que la présence du mal est toujours accompagnée de la présence du bien, de la grâce. Saint Paul a écrit : « Mais le don gratuit de Dieu et la faute n'ont pas la même mesure. En effet, si la mort a frappé la multitude des hommes par la faute d'un seul, combien plus la grâce de Dieu a-t-elle comblé la multitude, cette grâce qui est donnée en un seul homme, Jésus-Christ » (Romains 5, 15). Ces paroles conservent leur actualité de nos jours. La rédemption continue. Là où grandit le mal, là aussi grandit l'espérance du bien. En notre temps le mal s'est développé démesurément, il a grandi en se servant de l'action des systèmes pervers qui ont pratiqué à une vaste échelle la violence et l'oppression. Je ne parle pas ici du mal accompli par des hommes particuliers pour des visées personnelles ou par des initiatives individuelles. Le mal du XXᵉ siècle n'a pas été un mal à pe .te échelle, pour ainsi dire, « artisanal ». Il a été un mal aux proportions gigantesques, un mal qui s'est servi des structures étatiques pour accomplir son œuvre néfaste, un mal érigé en système.

Mais en même temps, la grâce divine s'est manifestée avec une richesse surabondante. Il n'y a pas de mal dont Dieu ne puisse tirer un bien plus grand. Il n'y a pas de souffrance qu'il ne sache transformer en chemin qui conduit à lui. En se livrant librement à la passion et à la mort de la croix, le Fils de Dieu a pris sur lui tout le mal du péché. La souffrance de Dieu crucifié n'est pas seulement une forme de souffrance à côté des autres, une douleur plus ou moins grande, mais elle est une souffrance d'un degré et d'une mesure incomparables. En souffrant pour nous tous, le Christ a conféré un sens nouveau à la souffrance, il l'a introduite dans une nouvelle dimension, dans un nouvel ordre : celui de l'amour. C'est vrai, la souffrance entre dans l'histoire de l'homme avec le péché originel. C'est le péché, cet « aiguillon » (cf. 1 Corinthiens 15, 55-56) qui nous fait mal, qui blesse mortellement l'être humain. Mais la passion du Christ sur la croix a donné un sens radicalement nouveau à la souffrance, elle l'a transformée du dedans. Elle a introduit dans l'histoire humaine, qui est une histoire de péché, une souffrance sans faute, affrontée uniquement par amour. Telle est la souffrance qui ouvre la porte à l'espérance de la libération et de l'élimination définitive de cet « aiguillon » qui déchire l'humanité.

C'est la souffrance qui brûle, qui consume le mal par la flamme de l'amour et qui tire aussi du péché une floraison multiforme de bien.

Toute souffrance humaine, toute douleur, toute infirmité renferme une promesse de salut, une promesse de joie : « Je trouve la joie dans les souffrances que je supporte pour vous », écrit saint Paul (Colossiens 1, 24). Cela vaut pour toute souffrance, provoquée par le mal : cela vaut aussi pour l'énorme mal social et politique qui aujourd'hui divise et bouleverse le monde : le mal des guerres, de l'oppression des individus et des peuples ; le mal de l'injustice sociale, de la dignité humaine bafouée, de la discrimination raciale et religieuse ; le mal de la violence, du terrorisme, de la course aux armements – tout ce mal existe aussi dans le monde pour réveiller en nous l'amour, qui est don de soi dans le service généreux et désintéressé de celui qui est visité par la souffrance.

Dans l'amour qui a sa source dans le cœur du Christ se trouve l'espérance pour l'avenir du monde. Le Christ est le Rédempteur du monde : « C'est par ses blessures que nous somme guéris » (Isaïe 53, 5).

Notes

1. Toutes les citations bibliques sont empruntées à la *Bible liturgique* [NdE].

2. Successivement : *Le Rédempteur de l'homme*, Bayard-Le Centurion, 1979 ; *La Miséricorde divine*, Montréal, Médiaspaul, 1981 ; *L'Esprit Saint dans la vie de l'Église et du monde*, Téqui, 1986. On peut retrouver ces encycliques ainsi que celles qui seront mentionnées ultérieurement sur le site du Vatican à l'adresse suivante : www.vatican.va/holy_father/john_paul_ii/encyclicals [NdE].

3. *La Cité de Dieu*, XIV, 28 : « L'amour de soi jusqu'au mépris de Dieu », traduction Lucien Jerphagnon, Gallimard, « Bibliothèque de la Pléiade », 2000, p. 594.

4. Cf. *Między heroizmem a bestialstwem (Entre l'héroïsme et la bestialité)*, Częstochowa, 1984.

5. « *Ein Teil von jener Kraft, / die stets das Böse will und stets das Gute schaff* » (Faust, partie I, scène 3 : « Cabinet d'étude »).

6. N. 13.

7. Concile Vatican II, *L'Église dans le monde de ce temps : constitution pastorale « Gaudium et spes »*, n. 37.

8. N. 2.

9. Saint Irénée, *Adversus hæreses* IV, 20, 7 : « La gloire de Dieu, c'est l'homme vivant. »

10. Cf. *La Splendeur de la vérité*, Plon-Mame, 1983, nn. 6-27.

11. N. 36.

12. *Fondements de la métaphysique des mœurs (Grundlegung zur Metaphysik der Sitten)*, section II, traduction Victor Delbos, Le Livre de poche, 1993, p. 94.

13. *Ibid.*, p. 105.

14. Respectivement publiés chez Stock, 1985, Bayard Éditions, 1983 et Le Cerf, 2004.

15. Cette dernière, prévue pour le quatre-vingt-dixième anniversaire de *Rerum novarum* (1891), fut publiée avec retard en raison de l'attentat contre la vie du pape.

16. Psaume 51 (50), 3-17.

17. *Promethidion. Rzecz w dwóch dialogach z epilogiem*, in Cyprian Norwid, *Pisma wszystkie*, v. 3 : *Poematy*, Varsovie, 1971, p. 440.

18. La dynastie des Piast régna de 960 à 1379. Ce fut la première dynastie polonaise, mais elle commença à être désignée sous ce nom seulement à partir du XVIIᵉ siècle.

19. Initialement, la Rus' de Kiev (à la fin du IXᵉ siècle) était un agrégat de principautés slaves rassemblées autour du prince majeur de Kiev. Progressivement, la Rus' s'étendit sur un territoire qui, de Kiev, au sud, rejoignait Novgorod, au nord. À partir des premières années du Xᵉ siècle sont mentionnés des contacts de caractère commercial avec le monde byzantin. Ensuite, des contacts culturels se développèrent aussi, grâce auxquels une première annonce du christianisme dans le territoire de Kiev fut rendue possible. Avec le baptême du prince Vladimir, fut favorisée la christianisation systématique de la principauté qui devint le centre de la diffusion de l'Évangile dans une grande partie du monde slave.

20. Stanisław Wyspiański, *Wyzwolenie,* in *Dzieła zebrate,* v. 5, Cracovie, 1959, p. 98.

21. *Lumen gentium,* n. 13.

22. Fondé en 1190 par des marchands et des pèlerins allemands durant le siège d'Acre au cours de la troisième croisade, cet ordre s'appela à l'origine ordre des frères de l'Hôpital de Sainte-Marie-des-Teutons. En 1198, il devint un ordre militaire dont les membres, tous nobles, faisaient les vœux de pauvreté, de chasteté et d'obéissance. Au XIIIᵉ siècle, l'Ordre se déplaça vers l'Europe orientale, se distinguant dans la lutte contre les Mongols en Hongrie (1211-1225) et contre les Slaves païens de l'Europe nord-orientale. Par la suite, il forma un véritable État monastique et militaire, la Prusse, dans le territoire délimité par la mer Baltique, l'Oder et la Neva. L'expansion des chevaliers Teutoniques vers l'Est fut arrêtée par la victoire remportée sur eux, en 1240, par l'armée d'Alexandre Nevski. La défaite subie en 1410, au cours de la bataille de Grunwald, œuvre des forces polonaises et lituaniennes, signa le commencement de son déclin définitif et eut une répercussion décisive pour l'ordre.

23. Nn. 6.7.14 : *La Documentation catholique* 77 (1980), p. 604 et 606-607.

24. La dynastie des Jagellon régna non seulement sur la Pologne (1386-1572), mais aussi, à certaines périodes, sur la Lituanie, la Hongrie et la Bohême. Elle tire son nom de Ladislas Jagellon (1350-1434), grand-duc de Lituanie, qui épousa Edwige, reine de Pologne, favorisant la conversion de la Lituanie au christianisme et contribuant à l'union de ce pays avec la Pologne.

25. *Pensées,* éd. Brunschvicg, n. 347.

26. Le 3 mai 1791, la « diète des Quatre Ans » promulgua une charte constitutionnelle qui, de fait, fut la première Constitution écrite dans toute l'Europe.

27. *Gaudium et spes,* n. 22

28. *Ibid.*

29. *Ibid.*

30. *Ibid.*

31. N. 22.

32. N. 14.

33. N. 22.

34. *Ibid.*

35. Cf. *Lumen gentium*, n. 8 ; *Gaudium et spes*, n. 43 ; *Unitatis redintegratio*, n. 6.

36. Cf. Constitution pastorale *Gaudium et spes*, n. 2.

37. N. 76

38. *Somme théologique*, I-II, q. 90, a. 4.

39. L'entreprise eut un prix très élevé : la ville de Legnica fut totalement détruite par les Mongols, qui toutefois décidèrent ensuite de se retirer.

40. On fait allusion au libelle de Johannes Falkenburg, *Satira*, dans lequel on prenait la défense de l'ordre Teutonique avec des accents plutôt polémiques à l'égard du roi de Pologne. Cet écrit fut condamné par le concile comme suspect d'hérésie.

41. Jasna Góra (en latin *Clarus mons*) est considéré comme « le sanctuaire de la nation » en raison de la lumière que, dans les temps sombres des guerres et des occupations étrangères, les Polonais ont toujours tirée de l'icône de la Vierge Noire qui y est vénérée. Déjà à partir du XVᵉ siècle, Jasna Góra était le sanctuaire le plus fréquenté de toute la Pologne. Aux temps de l'invasion des Suédois (1655), qui passa à l'histoire sous l'appellation de « déluge », le cloître du sanctuaire devint une forteresse que l'envahisseur ne réussit pas à conquérir. La nation a lu cet événement comme une promesse de victoire dans les vicissitudes négatives qui se produisent régulièrement dans l'histoire. (Cf. Jean-Paul II, *Levez-vous ! Allons !*, Plon-Mame, 2004, p. 54-55).

42. Il consistait dans le droit de chaque membre du Parlement (*Sejm*) de s'opposer à une loi ou encore à tous les actes accomplis durant une session législative, les

annulant. Selon le droit traditionnel, les nobles polonais étaient politiquement égaux entre eux et toute loi parlementaire devait être approuvée à l'unanimité. Le *liberum veto*, utilisé pour la première fois en 1652, fut pratiqué avec une fréquence croissante les années suivantes, jusqu'à paralyser le système politique polonais. Après plusieurs tentatives, il fut finalement supprimé par la Constitution du 3 mai 1791.

43. Cf. note 26.

44. *Lumen gentium*, n. 63.

45. *Gaudium et spes*, n. 22

46. « Vigile pascale 1966 » : *Poème-théâtre, écrits sur le théâtre*, Cana-Cerf, 1998, p. 140. Pour cette édition, la traduction a été légèrement modifiée.

47. Il est fait allusion au cortège qui se déroula à Cracovie, le dimanche suivant l'attentat : des dizaines de milliers d'étudiants et de citoyens vêtus de blanc, pour symboliser l'opposition aux ténèbres du mal et de la violence, y participèrent. De l'esplanade de Błonia, le cortège se dirigea en silence par l'avenue Trzech Wieszczów, la rue Karmelicka, la rue Szewska, jusqu'à la place du Marché (Rynek), où, à midi, le cardinal Franciszek Macharski, archevêque de Cracovie, célébra la messe.

48. « Le sang des martyrs est semence de chrétiens ».

49. Catéchèse de l'audience générale du 7 octobre 1981, n. 5. *La Documentation catholique* 78 (1981), pp. 964-965.

Citations bibliques
et documents du Magistère

4, 4 : 89
4, 4-7 : 78, 79

Aux Éphésiens
2, 4 : 66

Aux Philippiens
2, 8-9 : 44

Aux Colossiens
1, 15 : 136
1, 24 : 202

Première à Timothée
2, 4 : 71

Deuxième à Timothée
4, 2 : 141

Première épitre de saint Jean
4, 8 : 71

Apocalypse
12, 1-6 : 185

DOCUMENTS DU MAGISTÈRE

Centesimus annus : 57, 58, 134

Dives in misericordia : 16, 17

Dominum et vivificantem : 16, 17

Evangelii nuntiandi : 141

Gaudium et spes : 31, 34, 57, 94, 136, 137, 143, 151
n. 2 : 34, 35
n. 13 : 31, 32
n. 22 : 137, 138, 139, 181
n. 37 : 34
n. 76 : 145

Laborem exercens : 57

Lumen gentium : 89, 94, 143
n. 13 : 89, 90
n. 36 : 44
n. 63 : 179

Mater et magistra : 56

Novo millennio ineunte : 142

Octogesima adveniens : 57

Pacem in terris : 57

Populorum progressio : 57

Quadragesimo anno : 56

Redemptor hominis : 16, 141
n. 14 : 138

Rerum novarum : 56, 134

Sollicitudo rei socialis : 57

Tertio millennio adveniente : 142

Veritatis splendor : 58
nn. 6-27 : 41

Index des noms

Index des noms

Table

CET OUVRAGE
A ÉTÉ TRANSCODÉ
ET ACHEVÉ D'IMPRIMER
SUR ROTO-PAGE
PAR L'IMPRIMERIE FLOCH
À MAYENNE EN MARS 2005

N° d'éd. FU050202. N° d'impr. 62419.
D.L. : février 2005.
(Imprimé en France)